Walt Disney's

Olimpijczyk mimo woli

Mamut: tom 15

Warszawa 2012, Wydawnictwo: Egmont Polska Sp. z o.o, ul. Dzielna 60,
01-029 Warszawa, tel. (0-22) 838-41-00, www.egmont.pl
Redaktor prowadzący: Artur Skura
Tłumaczenie: Jacek Drewnowski, Aleksandra Bałucka-Grimaldi
DTP: Stop!Studio; Korekta: Iwona Krakowiak, Joanna Romaniuk
Druk: Nørhaven, Dania; Produkcja: Cezary Wolski
Sprzedaż reklam: katarzyna.puchalska@egmont.pl, beata.michalak@egmont.pl.

Spis treści

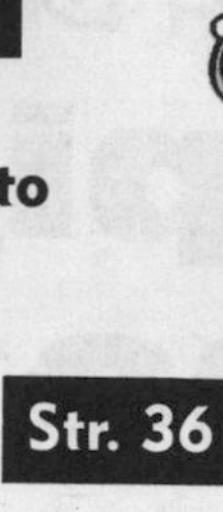

Str. 5 **Olimpijskie złoto**

Str. 36 **Pierwsza rakieta Kaczogrodu**

Str. 63 **Pędem po wodzie**

Str. 95 **Leć, Adam, leć**

Str. 133 **Mania zwyciężania**

Str. 150 **Sportowiec mimo woli**

Str. 176 **Koniokret**

Str. 192 **Idol młodzieży**

Str. 211 Nowy stadion

Str. 247 Sportowiec uniwersalny

Str. 279 On ma siłę

Str. 303 Olimpijski spokój

Str. 333 Niesportowa rywalizacja

Str. 356 Zawód w zawodach

Str. 386 Kaczki w krainie kangurów

Str. 452 Mistrz wszechwag

Str. 484 Stadionowe emocje

Kacza Olimpiada

Donald nie jest najlepszym sportowcem,
poza tym prześladuje go wielki pech.
Czy taki kaczor ma w ogóle szanse, by wygrać
jakąkolwiek olimpiadę? Zwłaszcza gdy ma do
czynienia z naprawdę niezłymi przeciwnikami?
Zabierzcie się do lektury, a zaraz się przekonacie!
Zapowiada się wiele sportowych emocji!

WUJEK SKNERUS

Ateny. Za kilka dni sportowcy z całego świata rozpoczną tu walkę o złote medale olimpijskie.
Ale w innym zakątku globu niektórzy też ciężko pracują...
Uff! Puff!
Puff! Uff! Uff!
Uff! Ziiip! Uff!
HALA SPORTOWA McK
Tysiąc jeden... uff... tysiąc dwa... puff... tysiąc trzy... uff... puff...
Skacz, kuzynku, skacz! Chcesz narobić wstydu wujaszkowi?
I co pan na to, panie burmistrzu?

Hmm... Czyli to jest ta pańska niepokonana ekipa?
Niezrównana – to lepsze określenie.
Tysiąc pięć... kwa!
Ćśśś... Spróbuj z tym.

Po co szukać innych sportowców, skoro można liczyć na wrodzone zalety własnych krewnych?
ZIUUU

PAC
Proszę mi zaufać. Nie znajdzie pan lepszych reprezentantów naszego miasta na igrzyska olimpijskie.

Hyyp...
No, w sumie liczyłem na nasz klub sportowy...
30 gr
40 gr

...ale popełniłem błąd, zatrudniając trenera McKierata.

„Jego metody okazały się zabójcze..."
Dalej, ciamajdy! Chyba nie chce wam się spać? Trenujecie dopiero dwadzieścia godzin.

Ajajaj! Nie mogę już utrzymać dysku w ręce.
A ja oszczepu.
A ja nawet szczoteczki do zębów. Au!

Ech! W jeden dzień wyłączył z gry moich najlepszych sportowców.

Ale na szczęście byłem pod ręką. Jako największy płatnik podatków, nie mogłem pozwolić, żeby miasto skompromitowało się w tak ważnych zawodach.

A czego żądasz w zamian, bezwzględny rekinie finansjery?
?!

Kwakerfeller? Kto cię tu wpuścił?

Poczucie sprawiedliwości. Nie pozwolę, żebyś wykorzystywał sytuację za moimi plecami.

Niech pan przyzna, burmistrzu. Co od pana wyciągnął w zamian za drużynę?
Hę?

Wyłączność na dostawę papieru na znaczki pocztowe? Kontrakt na produkcję odznak dla strażników miejskich?
Ekhem... Właściwie...

Pan McKwacz sam opłacił przygotowania do igrzysk i nie prosił o nic w zamian.
Che, che!
!

Krótko mówiąc, postąpił jak prawdziwy kaczogrodzki patriota.
Hmm... hmm...

Hmm... hmm...
Grrr! I to mają być buty na elastycznej podeszwie do skoku wzwyż?

Czekaj, wujku. Tu mamy te właściwe.
!

Aha! Teraz wszystko rozumiem.

Chciałeś reklamować swój sprzęt sportowy jako jedyny sponsor techniczny reprezentacji Kaczogrodu, tak?

Też mi patriotyzm! Stary centuś ma tylko dobry zmysł do interesów.
Kwa! To prawda, wujaszku?

Ech! Panie burmistrzu! Pozwoli pan, żeby uczciwy obywatel był oczerniany przed młodym pokoleniem?

Zaraz! Ma pan dowody na swoje oskarżenia?
No nie, ale...

Jeśli nie mam racji, Sknerus zgodzi się, żebym ja też wspomógł ekipę swoimi zawodnikami i sprzętem.

Nie mam nic przeciwko temu, żółtodziobie.
Grrr!

No to się zgadzamy. Tym razem będziecie działać razem. Pospieszcie się...

„...bo Ateny czekają”.
MORZE CZARNE
MORZE ADRIATYCKIE
MORZE EGEJSKIE
MORZE JOŃSKIE
KWAK AIR
MORZE ŚRÓDZIEMNE
Oho! Niedługo lądujemy.
Włóżcie te koszulki, zanim pokażecie się przed kamerami.

Ech! I pomyśleć, że oskarżał wujaszka o chęć wykorzystania igrzysk dla reklamy.

Wujek Sknerus nie wydaje się przejęty. Dziwne.

Ha! Chłopaki, jeszcze nigdy nie znaleźliśmy się tak blisko Sknerusa, nie uruchamiając systemów przeciwko Braciom Be.

Ćśśś! Nie wymawiaj tego nazwiska.

Nikt nie może poznać naszej prawdziwej tożsamości.
176-761

„Che, che! Podsłuchiwanie telefonów tych dwóch miliarderów to był świetny pomysł".
Bzzz! Wybrałeś swoich sportowców, żółtodziobie? Trzask!

„Tak. Ale zajęcie miejsc zawodników Kwakerfellera nie było już takie genialne..."
Uff!
Skaczcie, biegajcie i rzucajcie, bo inaczej nikt nie weźmie was za prawdziwych sportowców.
100 kg
Nie sądzę, żebyśmy zdobyli wiele medali.
Jak zwykle nic nie zrozumiałeś. Tu nie chodzi o zdobywanie złotych medali...
„...tylko o ich wykradanie".

Ale niełatwo dostać w ręce medal olimpijski – uczciwie czy nie...
BIEG NA 100 METRÓW
Chrrr!

PAF
Start!
ZIUUU

Chrrr... Babciu, ktoś puka!
?

100 METRÓW STYLEM KLASYCZNYM
Phi! Nie będę pływała jak żaba. Jestem kaczką z klasą.
!

SZERMIERKA
Unik i pchnięcie...

Trafiony!
Uch!
PAC

Stać! Punkt anulowany.

Dlaczego?
Na igrzyskach nie wolno używać urządzeń mechanicznych. Liczą się tylko umiejętności.

Użyłem wszystkich swoich umiejętności, żeby skonstruować ten zdalnie sterowany floret...

Biedny Diodak... ale sędzia ma rację.
Ech!
Tak. Na igrzyskach nie ma nawet sportów motorowych.

SZTAFETA
Uff! Puff! Dalej nie rozumiem. Skoro mamy tu kraść medale, po co biegamy?

Bo medale dają dopiero po finale, głupku. Do tego czasu musimy wyglądać na prawdziwych sportowców.
BAM

Uff! Puff! Nie wiem, czy wytrzymam tyle biegów...
Dawaj, dawaj! Wyobraź sobie, że uciekasz gliniarzom.

DZIESIĘCIOBÓJ
5
Hop! Hop! Hop!

Niezły rzut, mój drogi...
ŚWIIIST

?
ŚWIUST
TRZASK

Uch!
GRUCH

Chociaż zastanawiam się, czemu rzucasz dyskiem podczas konkursu skoku o tyczce.
Ekhem... Chyba zapomniałem podać mu kolejność konkurencji w dziesięcioboju.

Grrr! To mają być niezrównani sportowcy? Chyba niezrównane ofermy.

Ech! Dlaczego? Dlaczego powierzyłem nasz sportowy honor tym dwóm?

Jeszcze nie widziałem tak nielojalnego zachowania. Grrr!
W Kaczogrodzie prawdziwi sportowcy używają tylko sprzętu KF Sport.

Wysyłka gratis na cały świat... Nie to co u tego skąpca McKwacza.

Szczegóły na mojej stronie kaczernetowej.
Grrr! Nie mogę go znieść.

Czemu go nie uciszysz, wujaszku?
E tam. Już mówiłem. Nie przyjechałem tu dla reklamy.

Hmm... Faktycznie, odkąd przylecieliśmy nic, tylko pracujesz przy komputerze.
No, tego... Studiuję... ten, no... komputerowy program treningu.
Chrrr!
Przepraszam, kuzynku. Niepotrzebnie kazałem ci skakać wzwyż w trakcie konkursu rzutu oszczepem.
Aj! Oj! Aj!

Mój program poprawi waszą formę.
Akurat tego mi potrzeba. Phi!

Diodak zmodyfikował już jedną z maszyn treningowych.

Oto atlas wielofunkcyjny, który pozwala trenować wszystkie dyscypliny sportu jednocześnie.
Brawo!

Do roboty. Może nie zdobędziecie złotego medalu, ale zostanie wam satysfakcja, że walczyliście do samego finału.

A przynajmniej dopóki nie znajdę tego, czego szukam. Che, che!

Wujaszek dał się zarazić olimpijskim duchem, ale za bardzo skupia się na technologii.
Właśnie.

Igrzyska poddają próbie fizyczne umiejętności sportowców... Cechy, którymi obdarzyła ich natura.

Dlatego w treningu też należy się na niej oprzeć...

...tak jak dawni sportowcy, którzy ćwiczyli w starożytnej podziemnej sali gimnastycznej.
Hę?

Wie pan, gdzie się znajduje ta sala?

Pewnie. W nieużywanym skrzydle stadionu. Tylko ja mam do niego klucze.

Od lat nikt tam nie trenuje. Nie zaznaczają jej już nawet na planach budowli.
Jeśli nas pan tam zaprowadzi, moglibyśmy wrócić do tradycji.

Myśli pan, że dawni sportowcy chcieliby się podzielić salą z nową drużyną?
Hmm... Tak. Przekonał mnie pan.

A zatem...
Patrzcie i podziwiajcie. Te ściany emanują chwałą dawnego sportu. Nie czujecie przypływu sił?
Zieeew!

Kwa!
Ta starożytna sala gimnastyczna... to jaskinia.

Tak. Erozja wytworzyła naturalne przeszkody.

No, dosyć gadania. Pora zacząć pracować na olimpijskie złoto.

Przynajmniej ja zacznę. Che, che!

A zatem, o dziwo...
Hop, hop, hop!

Podczas zawodów...
ZIU
ZIU
ZIU
ZIU...
RZUT MŁOTEM
Ojej! Co za rzut!
SIUUU
A nawet nie jadł podwieczorku.
SKOKI DO WODY
Oooch!
Bardzo ładnie, wujku!
PLUSK
8
9
9
8
SĘDZIOWIE
Hura! Drugie miejsce!
Jestem z ciebie dumna!
CMOK

Nawet Bracia Be...
Chłopaki, patrzcie! Medale! Biegniemy je zwinąć?
Nie. Uff! Puff! Najpierw musimy dokończyć wyścig...
WIOŚLARSTWO
Wolę uczciwie zdobyć brązowy medal, niż ukraść złoty.
Co? Czyli nic nie zrozumiałem z tego planu...
Wspaniale! Nie sądziłem, że zmiana sali gimnastycznej przyniesie takie efekty.
Czasami wystarczy niewiele, żeby ujawnić nasze ukryte zalety.

Po treningach w miejscu, gdzie ćwiczyli dawni sportowcy, każdy daje z siebie wszystko.
Che, che! Nareszcie nasz burmistrz będzie zadowolony.

Zadowolony? Mało powiedziane...
Juhuuu! Pobudka, kochanie!

Wcale nie śpię. Grrr! Od początku igrzysk nie dajesz mi zmrużyć oka.
Nie moja wina, że u nas jest noc, kiedy tam rozgrywają zawody.

A musisz oglądać wszystkie?
No pewnie. Moi sportowcy dotarli do finału.

Posłuchaj, co mówią w telewizji.
Za chwilę pokażemy konferencję prasową reprezentacji Kaczogrodu, rewelacji tych igrzysk.

Aha! Nareszcie przejrzałem twój plan, stary cwaniaku.
PSTRYK
PSTRYK

PSTRYK
Czekałeś, aż zawodnicy zasłużą na pochwały, a tymczasem szykowałeś gadkę reklamową.
Phi! Mylisz się, jak zwykle.

Chcesz towarzyszyć moim siostrzeńcom na konferencji? Chętnie oddam ci ten zaszczyt.

Jak to? Nie pójdziesz z nami na stadion?
Ale po wywiadach zaczną się finały.

Otóż to. Za duże emocje dla mojego biednego, starego serca. Wolę zostać tutaj.

Hmm...

Wnet...
Dobra. Zawody zaraz się zaczną, a jeśli komputer wykonał prawidłowe obliczenia...

...tajna skrytka
otworzy się
właśnie teraz.

Hura! Jest!
SZUUU

Cha, cha! Prawdziwe
olimpijskie złoto. Nie jakieś
głupie medale...

A nie mówiłem?
Dobrze znam waszego
wujka i wiem, kiedy
coś knuje.

Kwa! Co tu robicie?
Sam ich
namówiłem, żeby
cię śledzili.

A-ale finały...
Phi! Teraz nie udawaj, że interesuje cię wynik sportowy. Zupa się wylała.

Zgodziłeś się zorganizować wyjazd olimpijski tylko po to, żeby położyć łapy na tym.

Rety! Legendarny skarb atletów, zgromadzony przez lata zwycięstw.

Czyli to w starożytnej sali gimnastycznej...
...której bez pana nigdy bym nie znalazł, bo na moich nowych, komputerowych planach nawet jej nie zaznaczono.

Nie rozumiem. Przed laty przyprowadziłem tu grupę archeologów. Na próżno.
Bo to nie był właściwy moment.

Według starożytnego manuskryptu, który znalazłem, skrytka otwiera się na kilka godzin podczas finałów igrzysk...

...ale tylko tych rozgrywanych w Grecji, gdzie rywalizowali starożytni sportowcy.

Grrr! Dlatego chciałeś, żebyśmy awansowali do finałów. Chodziło ci tylko o skarb.
Ekhem... Tego...

A myśleliśmy, że dałeś się zarazić duchem olimpijskim... ale zawsze miałeś sejf zamiast serca.

Chwileczkę! Tyle harowaliśmy tylko po to, żeby stary centuś się wzbogacił?
?

To nie fair! Należy nam się jakaś nagroda.
Kwa! N-nie jesteście prawdziwymi sportowcami!

Nie. Ale jesteśmy prawdziwymi złodziejami.
I nareszcie możemy coś ukraść.

Nieee! Mój skarb!
Właściwie wcale nie twój. Należy do Grecji.

Mniejsza o szczegóły! Za nimi!

I tak...
Patrzcie! Sportowcy już wybiegają.
Słyszycie, jak nas tu witają?

Biegnij, Gęgul! Wyobraź sobie, że ukradli ci drugie śniadanie.
Grrr! Lecę, pędzę!

Zawodnicy z Kaczgrodu wbiegają na stadion. Ale... co oni robią?
ATENY 2004
Hop, hop, hop!
Zatrzymam ich.
Niemożliwe. Są za daleko.
Za daleko? Nie dla mnie.

Cha, cha! Nigdy nas nie złapią.

Aj!
Oj!
Aj!
ŁUP
ŁUP
ŁUP

O nie! Bezcenna waza bohaterów!

Stójcie! Tym razem moja kolej.

Hop!
PTIONG

Mam!

Hura! Świetnie się spisaliście.
Ekhem... Zdaje się, że komitet olimpijski ma inne zdanie.

A jednak...
Wykazaliście ogromny talent do wielu dyscyplin, tak jak starożytni zawodnicy.

Za przypomnienie ducha antycznego sportu, przyznajemy wam medale specjalne.
Hej! My też na takie zasłużyliśmy.

Che, che! Taki znawca jak ja musi docenić to olimpijskie złoto.

Ech! Nie masz nic więcej do powiedzenia?

Skoro o złocie mowa... mój szósty zmysł naprowadził mnie na tę amforę...

...którą ofiarowuję z wielką... ekhem... chęcią władzom miasta Aten...
Och! Legendarny skarb atletów!

I tak...
Cha, cha! Nici ze złota, a tylko ja zrobiłem sobie reklamę. Tym razem ci nie poszło, stary centusiu.

Tak ci się tylko wydaje, żółtodziobie. Wiedz, że z wdzięczności za ten dar przyznali mi wyłączność na wycieczki...

Ile par trampek musisz sprzedać, żeby dorównać mi zyskami?
Grrr!

Przepraszam! Telefon z Kaczogrodu. Dzwoni żona burmistrza.
Kwa?

Grrr! Przestańcie gadać i zacznijcie te finały, bo mój mąż nigdy nie pójdzie spać!
KONIEC

Walt Disney

KACZOR DONALD

Pierwsza rakieta Kaczogrodu

Scenariusz: Osvaldo Pavese; Rysunki: Domenico Russo

Donald znowu zagrywa
nie do odbioru...
Brawo!
PAC

Widzicie to?
Ech!

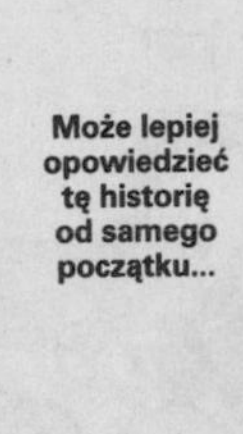
Może lepiej
opowiedzieć
tę historię
od samego
początku...
* * *

Huraaa!
Hej, co z wami?
Obudziliście mnie.

Wybacz, wujku. Babol
znowu wygrał.
Był świetny.

Budzicie mnie z powodu
jakiegoś tenisa?
Ale,
wujku...

E tam. Sport dla nierobów.
Może i tak...

...ale Babol zdobył Złotą Rakietę.
I 10 tysięcy dolarów premii.
!

Co? 10 kawałków i rakieta ze złota?
Zgadza się.

Niedługo wrócę.
Dobrze.

Wnet...
Postanowiłem zostać wielkim mistrzem.
A to ci dopiero!
KACZOR DONALD

Chyba mówiłeś, że to sport dla nierobów?
Owszem, ale za złotą rakietę i 10 patyków mogę się lenić, ile wlezie.

Ale, wujku, te nagrody zdobył Rafael Babol.
Bo jest wybitnym zawodnikiem.

Oj tam! Wasz wujek pokona tego mistrza za pięć dolców. Zobaczycie!
Co?
Cha, cha, cha!

Z tym podręcznikiem szybko nauczę się tenisa.
NAUKA TENISA W DŁUGI WEEKEND

Skoro tak twierdzisz...
Zobaczycie, mądrale. Zobaczycie.

Donald rozpoczyna treningi...
Zacznijmy od serwisu.

PAC
ZIUUU

Tym razem mi nie uciekniesz.

Ha!
PAC

Wujek zaczął ćwiczyć.
BRZĘK
SZUST
TRACH

PAC

Au!
BDEK

Aaa!
PLASK

TRACH

Grrr!
Grrr!
Grrr!
Proszę mu wybaczyć.
Nasz wujek dopiero zaczyna.

Lepiej, żebyśmy to my zajęli się twoim treningiem.
Dobra myśl.

A zatem...
SZATNIA
I co wy na to?
Jakiś ty elegancki!

Do tenisa trzeba się odpowiednio ubrać.

Kwa!
PLASK

Aaa! Już ja ci pokażę!

W sumie to też jest jakiś trening...

W końcu...
Przede wszystkim trzeba się nauczyć pracy nóg.
Zobaczymy.

Co wy na to?

Ajć!
BĘC

Spokojnie. W podręczniku napisali, że czasem nawet mistrzowie się przewracają.
Pewnie, wujku. Jesteś na dobrej drodze.
LOLA COLA

Do dzieła... Pozycja gotowości... Płetwy szeroko, wypiąć pierś...

Możecie podawać.

Masz, wujku!
Kwa!
PAC

Aaach!
BDĘK

Nie przeczytałeś ostatnich linijek, kuzynku.
Grrr! Goguś?
SEKTOR A

„Najlepsza postawa w niczym nie pomoże, jeśli zawodnik oderwie wzrok od piłki"...
Kwrrr!

Dobra. Sam pokaż, co potrafisz.
Z przyjemnością.
MIX

SEKTOR A
Odbierz to!
Już się robi!
SZUUU
PAC

A teraz to!
Nie ma sprawy.

Tak? No to patrz teraz.

PAC
H&S

Kwa!
No, no!
Co za zagranie!

?
Gdzie się nauczyłeś ścinać, wujku?
A co? Ściąłem?
KWAK-SPORT
LOLA COLA

Czyżby naprawdę był materiałem na mistrza?
A nie mówiłem?

Przez kolejne dni...
Dawaj, wujku! To ci poprawi kondycję.
Uff! Puff!

Brawo, wujku!
Ziiip! Puff!
Zobaczysz, jak to ci pomoże w pracy nóg.

Świetnie, kaczorze! Czemu nie zgłosisz się do zawodów Kaczogród Open?
SZUUU
AL
WODA SODOWA

To turniej otwarty dla zawodowców i amatorów.
Spróbuję.

Słyszeliście, chłopcy? Biegnę się zapisać.
No jasne, wujku.
KLUB TENISOWY

O nie!
KACZOGRÓD OPEN
DLA ZAWODOWCÓW
I AMATORÓW
WPISOWE: 20 DOLARÓW

Ech! Skąd wezmę 20 dolarów?
Nie martw się. Poprosimy wujka Sknerusa.
KACZOGRÓD O N
DLA ZAWODOWCÓW
I AMATORÓW
WPISOWE: 20 DOLARÓW

Tymczasem...
Cześć, Diodaku! Zacząłeś grać w tenisa?

BACH
Kwak!

No proszę! Nie wiedziałem, że masz tyle siły.
?!

Prawdę mówiąc, dopiero pierwszy raz używam tej rakietki.
Naprawdę?

Tak. Znalazłem ją na strychu. Naprawiłem i chciałem wypróbować.

Pokaż.

Uch!
TRACH

To nie twoja zasługa, tylko tej rakiety.
Masz rację.

Czym ją naprawiłeś?
Miała zepsuty naciąg, więc użyłem tej elastycznej żyłki.

Wynalazłem ją do wędki i całkiem sporo mi zostało.

Elastycznej żyłki, mówisz?
Tak.

Jest naprawdę bardzo elastyczna.

Mam nadzieję, że masz jeszcze przepis na tę żyłkę.
Zdaje się, że tak. Zajrzę do notatek.

Poszukaj. Tymczasem ja zabiorę rakietę w ramach rekompensaty za zniszczony cylinder.

Niebawem...
Dzień dobry, panie McKwacz. Miał pan dobry pomysł. Trochę ruchu dobrze panu zrobi.
Jakiego znów ruchu? Che, che!

To będzie interes roku. Zaproponuję rakietę McKwacza temu mistrzowi, Babolowi.
A potem?

A potem zbiję kokosy. Che, che!

Ale, minutę później...
Co takiego? Sto tysięcy dolarów za to, że pokaże się pan z moją rakietą w telewizji przez pół minuty?

A wie pan, że z moją rakietą nawet lebiega może zostać mistrzem?

Co odpowiedział?
Żebym w takim razie zaoferował ją lebiedze.

Dobra. Posłucham
jego rady.
Co?

Zaproponuję rakietę
najgorszemu tenisiście
w Kaczogrodzie.

Ten mistrz za dychę
dostanie od niego
nauczkę... a raczej
od mojej rakiety.

Uch!
BACH
Ach!

No proszę! Nie wiedziałem,
że grywasz w tenisa.

Tak, wujku. I chciałbym się zapisać na zawody Kaczogród Open.
Świetna myśl.

Szkoda, że nie mam dwóch dych na wpisowe.
A od czego masz starego wujka?

Dobrze rozumiem? Chcesz powiedzieć, że...
Że ci pożyczę. Chodźmy.

Wkrótce...
Proszę zapisać mojego siostrzeńca.
Niech żyje wujek Sknerus!
ZAPISY

I jeszcze podpis.
Jasne, wujku.
Co?

Będę jego menedżerem. W zamian Donald ma grać tylko moimi rakietami.

Wszystkim będę mówił, że używam tylko twoich rakiet.
No jasne. Ale wolę mieć to czarno na białym. Che, che!

W końcu rozpoczyna się turniej Kaczogród Open...
To oni.
Biedny kuzynek. Rozniosą go. Che, che!

Donald mierzy się z pierwszym przeciwnikiem...
To jest Joe Gumma. Nie odda mu nawet punktu.
Naprawdę?

Zobaczcie, jaki śmieszny kaczor!
Zniszcz go, Joe!

Uwaga, serwuję!
Och!
ZIUUU
PAC

Potem z drugim...
A masz!

...z trzecim...
Ale...

...z czwartym...
Aaach! Co za piłka!

Och!

Dzięki rakiecie Diodaka Donald pokonuje wszystkich rywali i wygrywa Kaczogród Open...
Hura!
Brawo!
Nich żyje mistrz!
LOLA COLA
SPORT TO ZDROWIE
Brawo, Donaldzie!
Wspaniale!

Jesteś wielki, kochanie!
Che, che!

Wygrał, używając rakiet McK. Prawda, Donaldzie?
Zgadza się, wujaszku.
KACZA KRONIKA FILMOWA

I tak zaczyna się dla Donalda czas triumfów...
Niech żyje Donald!
Hura!
Niech żyje pierwsza rakieta Kaczogrodu!
Hura!
DONALD PANY!
LOLA COLA
DONALD RULEZ!

Nieustanne ataki fanów...
Poproszę autograf, mistrzu!
Ja też!
Che, che! Spokojnie.

Istny deszcz zaproszeń...
Dziękuję, że przyszedłeś, najdroższy.
Cała przyjemność po mojej stronie, księżniczko.

Także w interesach jest to doskonały sezon...
I dochodzimy do pierwszego fantastyliarda...
RAKIETY McK

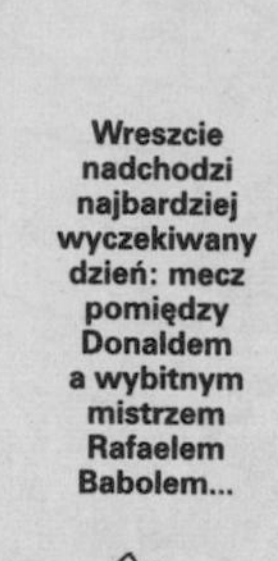
Wreszcie nadchodzi najbardziej wyczekiwany dzień: mecz pomiędzy Donaldem a wybitnym mistrzem Rafaelem Babolem...

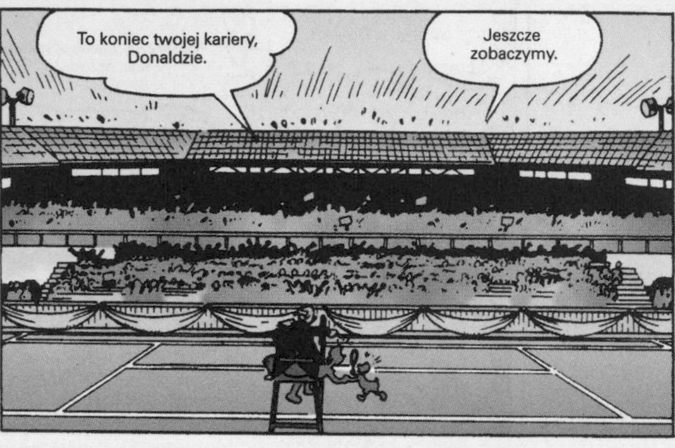
To koniec twojej kariery, Donaldzie.
Jeszcze zobaczymy.

Tak zaczyna się tenisowy mecz stulecia...
Ha!
PAC

Po zagraniach Donalda piłka dziwnie się zachowuje...
Ale...
PAC

I tak...
PAC
PAC
PAC
BDĘK

...Babol jest w wielkich tarapatach...
Och!

Ale kiedy wynik wydaje się już przesądzony...
Brawo! Udało ci się odbić jedną piłkę.
BDĘK

Zobaczymy teraz.
BACH

Kwa?
Och! Co się dzieje?
Ale klops, kaczorku!

Nie do wiary! Piłka po odbiciu przez Donalda nie ma już żadnej siły...
Wydajesz się trochę zmęczony, kaczorku. Che, che!
BDĘK
PAC

Co się dzieje?
Hmm... Wygląda na to, że moja żyłka straciła swoją moc.

Mówiłem, że trzeba nad nią jeszcze popracować.
O, ja nieszczęsny! Jestem zrujnowany!

Tymczasem na korcie...
Cha, cha! Patrzcie na niego!
Chyba postanowił rzucić ręcznik.
ZIUUU

Grasz beznadziejnie, kuzynku.

Mówisz? No to patrz!

Widzicie? Wziął się w garść!
Brawo, Donaldzie!
BDĘK
BDĘK
BDĘK

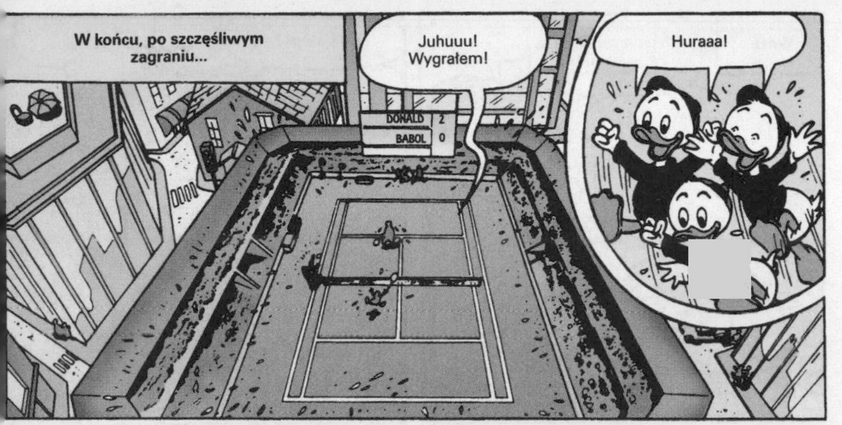
W końcu, po szczęśliwym zagraniu...
Juhuuu! Wygrałem!
Huraaa!
DONALD 2
BABOL 0

Jesteś wielki!
Mój bohater!
Byłeś rewelacyjny!

Udało się!

Tym razem Donald cieszy się zwycięstwem...
Trzeba przyznać, że dobrze się spisał nawet bez mojej rakiety.

Wnet...
Co teraz zamierzasz, mistrzu?
To proste. Wycofam się.

Co takiego?
Niemożliwe!
Właśnie że tak. To męczący sport... i nie zarabiam zbyt wiele. Prawda, wujku?

Hmm... Po odjęciu wydatków zarobiłeś 3 dolary i 5 centów.
Tak sądziłem.

To nieodwołalna decyzja?
Pewnie. W końcu chciałem tylko coś udowodnić siostrzeńcom.

A co konkretnie?
Że ich wujek nie jest takim niedojdą, jak sądzili. Mam rację, chłopcy?
Jasne, wujku!
KONIEC

Walt Disney

MYSZKA MIKI

Pędem po wodzie

Ale czy się zgodzi?
Zaraz się dowiemy. Właśnie idziemy go poznać.
Ferdek, Mordek, chodźcie! Państwo Rossi na nas czekają.
Wkrótce...
Zdaje się, że nasi chłopcy się polubili.
Cieszę się. Przyjaźń z pańskimi siostrzeńcami pomoże Antoniowi oswoić się z nowym otoczeniem.
...i wiemy, że jesteś prawdziwym mistrzem.
No, nie przesadzajmy... chociaż przyznaję, że jakoś sobie radzę.
Szkoda, że w Myszogrodzie nie mogę uprawiać tego sportu.
A kto tak powiedział?

Ale... myślałem, że tutaj się go nie uprawia.
Dotąd tak było, to prawda.
Ale kiedyś musi być ten pierwszy raz. Che, che!
Razem z chłopakami z dzielnicy chcemy założyć drużynę, korzystając z twojego doświadczenia.
Pomożesz nam, prawda?
Drużynę? Hmm... Skoro mówicie, że się da...
Zgoda! Jestem z wami.
Hura!
Musimy powiedzieć reszcie! Nie mogę się doczekać.
A zatem...
Wiesz co, wujku? Antonio jest bardzo miły.
A poza tym to dobry sportowiec.
Tak. Jego rodzice mi mówili.

Na nartach wodnych nie ma sobie równych.
Co takiego?
Na nartach wodnych? O nie!
Chłopcy! Coś nie tak?
Wszystko, wujku.
Katastrofa!
Wkrótce...
Rozumiesz? Myśleliśmy, że Antonio, tak jak większość Włochów, gra w nogę. Powiedzieliśmy mu, że może tu uprawiać swój ulubiony sport.
Narty wodne! Nie do wiary!
Wcale nie. We Włoszech istnieje nie tylko piłka... a narty wodne mają w tym kraju wielkie tradycje.

Tak czy siak, problem nie wydaje mi się poważny. Wystarczy wyjaśnić nieporozumienie i...
Niemożliwe!
Obiecaliśmy.

Bez względu na nieporozumienie, nie możemy się wycofać.
Pomóż nam, wujku.

Pomóc wam? Łatwo powiedzieć. Na początek potrzebny nam jakiś akwen...
Właśnie. Gdzie taki znaleźć blisko Myszogrodu?

Hmm... Na ziemi braci van Faronów znajduje się jezioro...
Przecież to teren prywatny.
A w dodatku jest za małe.

Hmm... Można by je wynająć. A o ile wiem, narty wodne nie wymagają dużej przestrzeni.
Naprawdę?

No to na co czekamy?
Zadzwoń zaraz do właściciela i...
Spokojnie, chłopcy! Spokojnie.

Nawet zakładając, że pozwolą nam skorzystać z jeziora, zostaje jeszcze wiele problemów do rozwiązania.

Na przykład sprawa pieniędzy. Skąd je weźmiemy?
Już ja wiem skąd!
?

Założymy klub narciarski i wciągniemy w to wszystkich chłopaków z okolicy.
Racja. Każdy zapłaci składkę... i sprawa załatwiona.
Hmm... To się może udać.
Na pewno się uda, zobaczysz!
Skontaktuj się z właścicielami...
...a my pomyślimy o reszcie.
Z pomocą Antonia łatwo nam pójdzie.
A zatem...
Ty też przyszedłeś z powodu nart wodnych?
Tak, bardzo mnie to interesuje.
Fajnie byłoby znaleźć nowy sposób na spędzanie wolnego czasu.

Rozgośćcie się, koledzy. Antonio właśnie zaczął.
Narty wodne to ekscytujący sport, który wciąga od pierwszej chwili.
Wystarczy przestrzegać kilku prostych zasad, żeby zacząć.
Oczywiście, nie zawsze wszystko idzie tak gładko, jak by się chciało...
...ale nie ma się czym przejmować... chyba że ktoś boi się kąpieli.
Cha, cha!

To ja, kiedy zaczynałem. Mam trochę głupią pozycję...
...ale daję wam słowo, że z tego powodu wcale nie bawiłem się gorzej.
Oczywiście, nie zawsze jeździ się po wodzie. Ten sport, jak każdy inny, wymaga odrobiny gimnastyki. Nazywamy to suchym treningiem...
...a ćwiczenia w grupie wcale nie są nudne.
Narty wodne to sport także dla dziewczynek, prawda?
No pewnie! Dotyczy to wszystkich konkurencji, włącznie ze skokami.
Skokami?
Zgadza się. Dzięki specjalnej skoczni można dosłownie wzbić się w powietrze.

Oczywiście, do tego potrzeba trochę doświadczenia, ale na mniejszych skoczniach można zacząć dość szybko.
A inne konkurencje? Chyba nie powiesz, że to zjazd i slalom?
No, prawie. Są zawody szybkościowe, które można porównać do zjazdu..
A w slalomie funkcję chorągiewek pełnią boje. W celu zwiększenia poziomu trudności, skraca się linę.
Jeszcze inna konkurencja to
jazda akrobatyczna.
Zawodnicy wykonują ewolucje...

...oceniane przez sędziów, tak jak w łyżwiarstwie figurowym.
Jest jeszcze jedna odmiana tego sportu, którą uprawia się bez nart... Na gołych stopach!
Próbujesz nas wkręcić, co?
Wcale nie. Bez nart można wykonywać jeszcze śmielsze akrobacje, ślizgając się po wodzie na plecach albo na brzuchu, zamiast na stopach.
To pewnie strasznie łaskocze.

Może na początku. Potem skóra twardnieje.
Cha, cha!
Cha, cha!
A co ze sprzętem?
Chodźcie, pokażę wam.

To są standardowe narty. Nie ma sensu kupować osobnej pary dla każdego. Możemy się spokojnie nimi wymieniać.
A ta służy do slalomu.
Gdzie druga?
Nie ma drugiej. W slalomie używa się jednej narty. W skokach – dwóch, a w akrobacjach albo jednej, albo dwóch.
Do kompletu potrzebujemy kamizelki ratunkowej, kostiumu kąpielowego i ewentualnie skafandra, który chroni przed zimnem.
Potrzebna jest jeszcze odpowiednio mocna motorówka...
...oraz instruktor. Na początku mogę być nim ja, o ile się zgodzicie.
Pewnie, że się zgadzamy!
Już nie możemy się doczekać!

Patrzcie! Wujek Miki!
113
Dobre wieści, wujku?
Znakomite.
Rozmawiałem z jednym z braci van Faronów... i jest gotów zezwolić nam na użytkowanie jeziora.
Proponuje przystępną cenę... oczywiście pod warunkiem, że zbierzecie wystarczającą ilość pieniędzy ze składek.
Jasne, że zbierzemy!
Hura! Na narty!

Wieczorem...
Do transportu wykorzystamy autobus szkolny. Motorówkę pożyczy nam Horacy... Sprzętem zajmie się Antonio... Doliczając paliwo, koszty wynajmu, posiłki...
...koszty na głowę z pewnością nie przekroczą niczyich możliwości.
Świetnie! Pora zadzwonić do kolegów.
Nazajutrz...
Wsiadajcie!
AUTOBUS SZKOLNY
Powierzam ci swój skarb, Miki. Na pewno nic mu nie grozi?
Najwyżej to, że będzie się za dobrze bawił. Che, che!
Jedziemy!

Wcale nie ma śniegu, ale to nie żarty! Chociaż dzisiaj upał, jedziemy na narty!
AUTOBUS SZKOLNY

Jesteśmy na miejscu.
Oto i jezioro. Zaraz je wypróbujecie.

Wkrótce...
Odchyl się w tył. Rączkę trzymaj mocno i blisko piersi. Gotowy?
M-mam nadzieję.

Możemy ruszać.
Start!
Brrr!
WRRRUM
Aaaaaa!
WRRRUM
Nie poszło mu najlepiej, co?
No raczej nie. Wróćmy po niego.

Pamiętaj, że to lekcja nart wodnych... a nie pływania.
Bardzo śmieszne.

Głowa do góry! To nie takie trudne, jak się wydaje. Do wieczora będziecie śmigać po wodzie.

I rzeczywiście, później...
Patrzcie! Marysi się udało.
Dziewczyna jest lepsza od ciebie, Ferdku!
Grrr! Zobaczymy, jak się spiszesz, kiedy przyjdzie twoja kolej.
Chodźcie do mnie!
O! Nasza kolej?
Tak. Na trochę gimnastyki. Do roboty, leniuchy!
Pod koniec dnia...
Dzieci świetnie się bawiły, panie van Faron. Nie wiem, jak panu dziękować.
Nie ma za co. Miło było patrzeć na ich radość. Jestem pewien, że mój brat poprze ten pomysł.

A jednak, kilka dni później...
No pięknie! Wyjeżdżam w interesach... i co widzę w domu po powrocie? Bandę rozszalałych dzieciaków na jeziorze! Co ci strzeliło do głowy?
Wybacz... Nie sądziłem, że będziesz miał coś przeciwko temu.
WRRRUM

Tym bardziej, że sam jako dziecko...
E tam! Dawno i nieprawda.

Nie mam ochoty na dyskusje. Wyrzuć ich i skończmy z tym.
Ale... nie mogę.

Zrozum. Zapłacili i...

...jeśli nie pójdą sobie z własnej woli...
Tak... Hmm...

Następnego dnia...
Antonio jest naprawdę dobry.
Co za lekkość! Wygląda, jakby w ogóle się nie męczył.
Chciałbym być taki jak on.
Wszystko idzie dobrze, bardzo się cieszę i...
PYR PYR
Hej! Ale...

Nie moja wina. Silnik nagle stanął. Mam nadzieję, że to nic poważnego.
A jednak...
Nic nie rozumiem. Jedno jest pewne. Dzisiaj już nie pojeździcie.
To co robimy?
To chyba oczywiste. Trening na sucho.
O nie!
Ech!
Ale lipa.
Ja chcę na narty!
Nie martwcie się. Obiecuję, że jutro nikomu nie zabraknie wody.

Ale, następnego dnia...
Autobus się spóźnia.
Dziwne. Miki jest zawsze taki punktualny...
Powinien przyjechać już ponad godzinę temu.
Jestem tutaj.
No, nareszcie... cooo?
Ale...
Autobus nie chciał ruszyć. Robię objazd i informuję wszystkich, że dzisiaj treningu nie będzie.
A to ci klops.
Kolejny stracony dzień.
Biedne dzieciaki. Rozumiem je. Ale ta epidemia pecha nie może wiecznie trwać.
1313

Miki jednak jest zbytnim optymistą. Przez kolejne dni nieszczęśliwych wypadków nie brakuje...

Aż w końcu nadeszła sobota...
Spokojnie, proszę państwa.
Spokojnie? Jeszcze czego!
Zapłaciliśmy, żeby nasze dzieci dobrze się bawiły, ale klub nie działa!
Zapewniam, że będzie działał. Postaram się...
Phi! Dobrymi chęciami jest piekło wybrukowane!
Zbyt wiele rzeczy nie idzie, jak należy.
Nie chcę, żeby moje dziecko się narażało.
I kto nas zapewni, że sytuacja się nie pogorszy?
Nie ma o tym mowy. Narty wodne to bardzo bezpieczny sport.
Jestem przekonany, że te wypadki już się nie powtórzą.
A ja jestem przekonany, że będzie na odwrót.

Jestem Robert van Faron, jeden z właścicieli jeziora, na którego użytkowanie nieroztropnie zgodził się mój brat.
C-co pan ma na myśli?

Nie wiedział, że nad jeziorem ciąży straszliwa klątwa.

„Dla Indian to było zakazane miejsce".
Kłopoty niech spadną na blade twarze, którzy ośmielą się wpłynąć na te święte wody. Howgh!

Myślałem, że to tylko legenda. Ale w świetle ostatnich wydarzeń dochodzę do wniosku, że to coś więcej.

To, co się stało, to nasza wina, dlatego postanowiłem zwrócić wam pieniądze.

A zatem...
Koniec treningów.
I pięknego snu. Przykro nam...
Nie wasza wina, przyjaciele. Ech!
Hmm... Nie przemawia do mnie ta historia. Chcę wiedzieć więcej.
Mam w Ośrodku Badań Etnicznych kolegę, który może nas oświecić.
Wnet...
Klątwa? Absolutnie to wykluczam. Z bardzo prostego powodu...
To jest sztuczne jezioro. Kiedy powstało, Indian nie było tu już od wielu lat.

Ktoś postanowił sobie z was zadrwić.
Robert van Faron.
Ale w takim razie te wypadki...
Jeśli się zastanowić, wszystko szło gładko... dopóki on się nie zjawił.
To jego sprawka.
Wszystko na to wskazuje. Ale... dlaczego? Hmm... Trzeba to zbadać.
A zatem...
Hej! Patrzcie. Znalazłem coś bardzo ciekawego.
MYSI EXPRESS
Kto by pomyślał?
Według tego, co napisali w gazecie, radził sobie całkiem nieźle...
A jednak... najwyraźniej to porzucił. Dziwne.

Tak czy owak, odkryliśmy fakty, które mogą wiele wyjaśnić.
Co robimy? Pogadamy z nim?
Wszystkiemu by zaprzeczył. Zresztą nie mamy dowodów. Ale może wiem, co zrobić, żeby się zdradził. Che, che!
?
Następnego dnia w willi van Faronów...
Szkoda, że te dzieci zrezygnowały. Ich obecność wnosiła tu trochę radości.
Phi! Tym lepiej. Będą mieć więcej czasu na naukę.
Ale... Są wakacje i...
Panowie! Panowie!
Pan Miki? Co się dzieje? Wydaje się pan bardzo zdenerwowany.
Bo faktycznie się denerwuję.

Mały Antonio uciekł z domu. Nie ma go od wczorajszego wieczoru. Jego rodzice są zrozpaczeni.
O nie!
I chce pan szukać go tutaj?

Tak. Myślałem, że przyszedł tutaj po swoje narty.
Co za bzdury! Sądzi pan, że uciekł... drogą wodną?

No nie... ale to narty wodne stanowią przyczynę ucieczki.
Zostawił liścik, że chce poszukać miejsca, gdzie mógłby uprawiać ten sport.

Biedny Antonio. Sam w obcym kraju.
Wszystko przez tę klątwę.

Jaką klątwę?
A, nieważne. Później ci opowiem.

O co chodzi? Moglibyśmy odkryć, że klątwa nie istnieje? Nie ma obaw. Już to wiemy.
Zresztą odkryliśmy coś jeszcze.
W dzieciństwie był pan obiecującym narciarzem wodnym.
Tyle że nic z tego nie wyszło.
Ale... co się dzieje? Nic nie rozumiem.
Za to pański brat rozumie.
To on jest sprawcą wypadków, przez które musieliśmy zrezygnować z treningów.
Phi! A czemu miałbym robić coś takiego?
Z zazdrości.
Nie chciał pan, żebyśmy odnieśli sukces tam, gdzie panu się nie powiodło.
Nie! To nieprawda. Byłbym mistrzem...

„...gdybym tylko mógł kontynuować karierę".
Brawo!
Rewelacja!
Cudo!

„Niestety..."
Pora zawiesić narty na kołku, synu. Od dzisiaj masz cały czas poświęcać na naukę.
Ale, tato...

Nie sprzeciwiaj się. Czeka cię przyszłość biznesmena i nie ma w niej miejsca na sport.
Ech!

Nie chciałem rezygnować, ale zrobiłem to. A teraz zjawiliście się wy i rozdrapujecie stare rany.

Przyznaję, że te wypadki to moje dzieło... ale nie sądziłem, że konsekwencje będą tak poważne.

Nie wiedziałem, że ten chłopiec tak kocha narty wodne. Chciałbym coś na to poradzić...
Może ktoś panu doradzi, jak to zrobić. Antonio, możesz wejść.
Dzień dobry.
Ale... ale...
Antonio wcale nie uciekł. Ten podstęp miał pana skłonić do przyznania się do winy.
Eee... Bardzo mi przykro... Żałuję...
Oczywiście, możecie znowu korzystać z jeziora. Wszystko wyjaśnię rodzicom dzieci...
Hmm... Nie. To chyba nie wystarczy.
Rozumiem. Ale co mogę zrobić?
Zaraz panu powiem.

Pssst... pssst...
Co pan na to?
No, nie wiem...
Po takim czasie...
Ale... dobrze!
Zgadzam się.
Hura!
A zatem...
No i jak to
wygląda?
Powiedziałbym, że
lepiej niż przedtem.
Teraz mamy
prawdziwego
instruktora.
Pański brat nie potrzebował
wiele czasu, żeby przypomnieć
sobie dawne umiejętności.
Tylko tak dalej.
Świetnie ci idzie.
O tak! A w dodatku podchodzi
do nowo odkrytej pasji z takim
entuzjazmem...

...że chce zabrać całą drużynę na zawody do Włoch.
Wrócisz do ojczyzny. Cieszysz się?
Też pytanie! Juhuuu!
Wszystko dobrze się kończy, więc...
Niech żyją narty wodne!
KONIEC

Walt Disney

WUJEK SKNERUS
Leć, Adam, leć
Luty 2006. Dwa samoloty nadlatują nad Turyn, miasto XX Zimowych Igrzysk Olimpijskich...
Proszę państwa, temperatura zewnętrzna wynosi dwa stopnie Celsjusza. Lądujemy za...

...4 minuty
i 22 sekundy.
Dobra, zdążysz jeszcze trochę poćwiczyć, zanim wysiądziemy, Sven.
Zgoda, ale nie mógłbym dostać kanapki? Zgłodniałem.

Żartujesz? Dostałeś już swoją odżywkę.
Całe sześćset kalorii.

Uwzględniając zużycie energii i wysokość lotu, komputer podaje, że należą ci się...

...dwa krakersy i listek sałaty.
Ech!

Czołem wszystkim. Pogoda jest pod psem, więc ubierzcie się ciepło po lądowaniu, które nastąpi...

...no, oby
niedługo.
Juhuuu!
Jesteśmy na
miejscu.
Nie mogę się
doczekać, kiedy
wysiądziemy.

Ja też. Podróż nie
była zbyt wygodna.
Ech!
Za to przynajmniej
tania.

Dzięki ograniczeniu kosztów
moja telewizja zarobi krocie
na igrzyskach.
Kto zarobi? Tylko
i wyłącznie ty.
Diodaku, pomożesz
mi wyjąć bagaż?

W środku jest encyklopedia
o igrzyskach olimpijskich,
która sporo waży.
Moja walizka też
jest ciężka, ale
rozwiązałem ten
problem.

Nasz mistrz weźmie bagaże.
Przy okazji trochę poćwiczy po
tylu godzinach bezczynności.
Prawda, Adamie?

Jaki on męski! Zauważyłaś, że ma każdy szczegół pod kontrolą?
Phi!

Byłoby jeszcze lepiej, gdyby zapewnił nam porządne mikrofony.

I zaopatrzył spiżarnię, jak należy. Jako kucharka ekipy muszę stawać na rzęsach.
Ej, wracaj! Niedługo wysiadamy.

Coś ty, Babciu. We Włoszech bez trudu znajdziemy wyśmienite składniki. Spaghetti, lasagne... Mniam!

Gęgulu, jak możesz myśleć o jedzeniu?
Nie ekscytuje cię świadomość, że...

„...nasza olimpijska przygoda zaraz się zacznie?".
Kwa! Gdzie dziennikarze i reporterzy?
Rety! Wszystkich zagarnął mój odwieczny rywal.

Biegiem! Też musimy się pokazać.

No proszę! Kogo ja widzę? Stary centuś i ten oferma Adam Orlik.
Phi! Mój mistrz pokonałby twojego Svena Kattapulta nawet ze związanymi nogami.

Przepraszam, skąd taka rywalizacja między dwoma sportowcami z Kaczogrodu?
Obaj startują w tej samej dyscyplinie – w skokach narciarskich.

A należą do dwóch różnych klubów.
I mają różnych sponsorów.

A właśnie, ile razy ci mówiłem, żebyś nosił czapkę?
NARTY McK

Uśmiech proszę!
Oho! Idzie mistrz slalomu.
KF MOTOR
PJ
KWAKER
COLĘ
NARTY McK

Kwak!
SZUUU

Nieźle, chłopaki. Pokażemy tę imprezę mieszkańcom Kaczogrodu.
KF CHANNEL

Nie wysilaj się, żółtodziobie. Cały Kaczogród będzie oglądał moją telewizję.
Cha, cha! A to ma być ekipa telewizyjna? Wyglądacie, jakbyście uciekli z cyrku.
KF CHANNEL

Nie możesz konkurować z moją stacją. Zatrudniłem nawet Darka Drozdowego, króla komentarzy sportowych.

Poza tym kibicie uwielbiają oglądać zwycięzców takich jak Kattapult.

Żegnaj, stary centusiu. Szykuj się na klęskę... zarówno sportową, jak i wizerunkową. Cha, cha!
Grrr! Zobaczymy.

Od dziś masz trenować intensywniej. Musimy koniecznie pokonać tego nadętego bubka.
NARTY McK

A wy – ruszajcie się! Nie przywiozłem was, żebyście zbijali bąki.

Słyszałeś, kuzynku? Zaczyna się praca. Dla ciebie też.
Myślę, że wątpię.

Gogusia zwolniłem
z obowiązków.
Przywiózł mnie
tu jako maskotkę
na szczęście.

A widzę, że szczęście
wam się przyda.
Aaa! Uwolnijcie
mnie!

Kilka godzin
później...
Jesteśmy
na miejscu.
To Pragelato.

To jest skocznia,
na której odbędą
się zawody.
Co za emocje!

Bierzcie bagaże
i za mną. Chodźmy
do swojej bazy
operacyjnej.

Pewnie musimy dotrzeć tam piechotą.
To oczywiste. Spacer po górach doda nam energii.

Mam nadzieję, że przynajmniej hotel będzie wygodny.
Hotel? A kto mówił o hotelu?

Zamieszkamy w tym schronisku.
?!
!

Ładna kwatera, nie ma co.
Na pewno nie było nic tańszego?

Jeśli było, nie znalazłem.
No tak.

Ale warto było wziąć przynajmniej jeszcze jedną kamerę.
Najlepiej nieużywaną.
Gadanie. Jedna w zupełności wystarczy.
Zresztą od spraw technicznych mamy Diodaka. Czego jeszcze chcecie?
Przygotowałem minicentralę transmisji satelitarnych. Wszystko jest tu w środku.
A zatem, podczas gdy Babcia Kaczka zajmuje się gotowaniem...
W taki ziąb gorąca zupa jarzynowa będzie jak znalazł.
...zaimprowizowana ekipa telewizyjna rozpoczyna działalność.
Ciągle prowadzi biegaczka w pięknym stroju w kolorze fuksji, bardzo modnym w tym sezonie. Też taki chciałam i... ple, ple, ple...

Wszyscy próbują dać z siebie to, co najlepsze...
...miasto Turyn w regionie Piemont, założone przez starożytnych Rzymian... ple, ple, ple... Produkcja rolna w tym regionie... ple, ple, ple...
TURYN

Szybko, Diodaku! Potrzebuję tego magnetofonu do nagrywania wywiadów.
Dobrze, dobrze. Trzeba go było nie upuszczać.

No, prawie wszyscy...
W górach można się najlepiej opalić.

Miło z twojej strony, że mnie ze sobą zabrałeś, Sknerusku.
Nie łudź się. Potrzebowałem drugiej reporterki oprócz Daisy.

Więc dosyć gadania i wracaj do pracy.
Ech! Nie umiesz myśleć o niczym innym?

Tak czy owak, mimo niewątpliwie dobrych chęci...
Mamy świetną miejscówkę, co, kuzynku?
Grrr!

...nasze kaczki nie wytrzymują porównania z poziomem organizacyjnym Kwakerfellera.
KF
KF

Różnicę widać też w treningach sportowców...
Szybciej! Szybciej!
Uff!

Dobrze! Po obiedzie przejdziemy do rozciągania.
Uch!

Nareszcie coś zjem. Co mamy dobrego?

Razowe suchary, listek kapusty i oliwka.
Ojej!

To dokładnie wyliczona dawka kalorii i mikroelementów.
Ech!

Tymczasem...
Dawaj, dawaj! Nie przyszliśmy tu na odpoczynek.

Głowa do góry! Jeszcze dwie minuty i na dzisiaj koniec.

Na pewno wiesz, jak się trenuje narciarza?
No pewnie. To nie takie trudne.

W końcu w czasach Klondike...
O nie! Znowu się zaczyna.

Później...
Dieta ci odpowiada, Adamie?
Chyba nie trzeba pytać. Mniam!

Pomyślałem, że możesz dzielić pokój z Gęgulem. Doradzi ci, jak się wyspać i odprężyć przed zawodami.

To wybitny znawca problematyki snu. Prawda, Gęgulu?

Chrrr! Chrrrap!
!
?!

Przez kolejne dni treningi trwają...
Nie ma co, Adam to prawdziwym mistrz.
Ej, niedaleko jest wystawa pamiątek olimpijskich. Możemy zrobić o niej materiał.

Najpierw mamy nakręcić curling i łyżwiarstwo szybkie.
Super! Moje ulubione dyscypliny.
To tutaj, chłopaki.
HALA WYSTAWOWA

Mówiłem, że warto tu przyjść.
Mam nadzieję. Musimy sobie odbić koszty podróży.

Wiesz, ile zarobimy? Te przedmioty mają ogromną wartość.

Sprzedamy je na czarnym rynku i zbijemy kokosy.
Hala jest dobrze chroniona. Łatwo nie będzie.

Spokojnie. Będziemy działać nocą. Na pewno się uda.
Che, che! Lubię taką robotę.

W przeddzień zawodów...
Gęgulu, wezwij pozostałych. Kolacja gotowa. Nie tylko dla ciebie!
Dobrze, babciu.

Hę? Czemu Adam nie schodzi?

Adaaam!
Co to takiego?
Bagna cauda* po kaczogrodzku.
Ach, tęsknię za domem...
* Piemoncki przysmak na bazie sardeli

Co jest? Już ja mu powiem, co o tym myślę.

Kwak!

Alarm! Adam zniknął!
Kwa!
Uwaga na talerze!

Buuu! Musimy go znaleźć. Jeśli jutro nie wystartuje, moje inwestycje reklamowe pójdą w błoto!

Gdzie się mógł podziać?
I dlaczego wyszedł bez uprzedzenia?

Adam!
Na szczęście mam zaoczny dyplom z tropologii...
Milcz i szukaj!

Chciałbym wam pomóc, ale mróz źle robi na opaleniznę.
Kwrrr!

Żadnych śladów?
Żadnych. Świeży śnieg musiał wszystko przykryć.

Poszukajcie z tej strony. Jeśli go zobaczycie, zawołajcie mnie.
Dobrze, wujku.

Z jakiego powodu mógł się oddalić?
Grrr! Lepiej dla niego, żeby to był ważny powód.

Później, nocą...
Chlip! Do zawodów zostało niecałe dwanaście godzin, a mój mistrz się ulotnił.
Dziób do góry, Sknerusku. Na pewno go znajdziemy.

Hej! Mamy tu film z treningu. Może zauważymy jakąś wskazówkę.
?

Myślisz, że zniknięcie Adama to jakaś śliska sprawa?
Kto wie? Rzućmy okiem na te nagrania.

Oto i on!
Brawo! Niech żyje Adam!
Dziękuję wszystkim.
LEĆ ADAM!

Hmm... Na razie nie widać nic dziwnego.
Chwileczkę! Ci kibice...

Rety! To Bracia Be!

Rozpoznałeś kogoś?
N-nie... Zdawało mi się.

Idę trochę odpocząć. Padam z płetw.

Skoro w sprawę zamieszani są ci dranie, lepiej, żeby do akcji wkroczył mój przyjaciel.

Na szczęście na wszelki
wypadek wziąłem ze
sobą strój Superkwęka.

Doskonale.
Pozostali są zajęci.
BRZDĘK
Dziobas!

Drżyjcie, Bracia Be!
Jestem na waszym
tropie.

Dzięki masce Luks-Wizja 2.0
znajdę ich raz-dwa.

Oho! Jakiś
podejrzany cień.
HOTEL

Stój, łajdaku!
Auć!

Gdzie schowałeś Adama... Kwa!

Sven Kattapult?
S-Superkwęk?

Czemu tu łazisz ciemną nocą?
Ekhem... Chciałem coś przekąsić.

Ech! Od miesięcy jem tylko jakieś kiełki, odżywki i witaminowe papki.

Dłużej już nie mogłem.

Jak się oprzeć tym miejscowym przysmakom?
Cha, cha!

Mlask! Chrup!
Spokojnie. Dotrzymam tajemnicy i... Hę?
WRRRUM

Kwa! To oni!
WRRRUM

Będę ich śledził, ukryty w chmurze mimetycznej.

Nikt mnie nie zobaczy. Che, che!
Ech!
Grrr!
WRRRUM

W końcu...
Nie można ci ufać, 176-176.
Czemu jesteś taki roztrzepany?

Jak mogłeś zgubić wytrych?
Oj tam. Takie rzeczy się zdarzają.

Przez ciebie skok się nie udał i... och!
PSTRYK

Rety! Przecież to Adam Orlik!
Co tu robisz?
Tak jak podejrzewałem. Porwali go.
Och!

Zaskoczę ich
efektownym
wejściem.

Kaczor w masce
wkracza do akcji.
Che, che!
WUUUUUUCH

Stać, nie
ruszać się!
Aaa! Superkwęk!
?
TUP

Cz-czego od nas
chcesz?
Jeszcze
pytacie? Szczyt
bezczelności.

Chwileczkę! Tym razem
jesteśmy niewinni.
Bujać to my, ale
nie nas. Wszystko
wiem.

Porwaliście Adama Orlika. Przyznajcie się.

Zostałeś porwany?
Kto, ja?

Mam nadzieję, że nie chcecie uciec.
O nie!
Superkwęku, czekaj!

Bracia Be są niewinni.

Co? Naprawdę?
Naprawdę.

Nie było żadnego porwania.
Poszedłem sobie z własnej woli.
Grrr! I co? Teraz
wierzysz?

Jesteśmy... ekhem...
pasjonatami olimpijskich
pamiątek...

Milcz, półgłówku!
BAM

Mów jaśniej.
Czemu uciekłeś?
Bo nie chciałem
startować.

„Zbyt wielu na
mnie liczy..."
Postaraj się wrócić
z medalem...
Ekhem...
BURMISTRZ

Sto lat, sto lat,
niech żyje,
żyje nam...
Jeśli nie wygrasz,
obciążę cię
kosztami podróży.
Bałem się, że wszystkich
zawiodę. Dlatego dałem
dyla.
Klasyczny atak
tremy.
„Zaczekałem, aż Gęgul
zaśnie i..."
Chrrr!
„...uciekłem
przez okno".

„Nie wiedziałem, dokąd pójdę. Chciałem się tylko ukryć przed wszystkim i wszystkimi".
Do stołu!
Natrafiłem na tę chatę i pomyślałem, że w niej przenocuję.
Przypadkiem była to nasza kryjówka.
No dobra. Teraz się wynoście i spróbujcie być grzeczni.
Spokojna głowa. Idziemy. Nie mamy tu już nic do roboty.
Ech! Mówiłem, że ta wyprawa skończy się klapą.
Nareszcie wracamy do domu! Zacząłem już tęsknić.
Oj, cicho bądź!

WRRRUM

A ty musisz uwierzyć, że... Ojć! Co to było?
Z-znam ten dźwięk.
TRRR

RRRUUUMS
Lawinaaa!
Nie bój nic. Raz--dwa uciekniemy dzięki moim...

Aaa! W butach skończyło się paliwo.
PSSS

Już po nas!
Jeszcze nie.

Szybko, Superkwęku! Złap się mnie.
?!

Na pewno wiesz, co robisz?
Nie, ale nie mamy wyboru.

Szybciej, bo nas przysypie!
Trzymaj się mocno.
RRRUMS

Oby szczęście nam sprzyjało.
RRRUMS

SIUUUP

Mało brakowało. Ale jak ci się udał taki długi skok?
Sam nie wiem. Pewnie ze strachu.

Co ty wygadujesz? Tylko mistrz mógł zrobić coś takiego.
Hej, masz rację! Skoro mi się udało...

...na igrzyskach też dam radę. Pokażę wszystkim, na co mnie stać.

Niestety, zapominasz o paru szczegółach. Już świt, a my jesteśmy tu piechotą...
O nie! Skocznia jest za daleko. Na pewno nie zdążymy.

Nie łam się. Ktoś może nam pomóc.
Patrzcie, chłopcy!

Stać!
Och!
TRRR

Uciekliście przed lawiną. Właśnie chcieliśmy wam pomóc.
Baliśmy się, że was przysypała.
Na szczęście nie. Ale wasza pomoc się przyda.

Zawieźcie nas do Pragelato. Adam startuje dziś w zawodach.
Powoli. Ratowanie was z lawiny to jedno...

...a służenie wam za szoferów – to co innego.
Nikomu bezinteresownie nie pomagamy.
Tu chodzi o naszą reputację.

Jednym słowem... radźcie sobie sami.
Chwila, moment!

Adam Orlik reprezentuje Kaczogród. Czyli także was.

W grę wchodzi honor naszego miasta. Nie możecie odmówić.
Eee... Coś w tym jest.
Jesteśmy obywatelami Kaczogrodu.

No dobrze. Wsiadajcie, zawieziemy was.
Hura! Chodźmy.

A zatem...
Dalej pójdziemy piechotą. Do zobaczenia!
Wielkie dzięki!
Powodzenia! Trzymamy kciuki!
Będziemy ci kibicować!

Moje obowiązki kończą się tutaj. Kolej na ciebie, mistrzu.
Dzięki, przyjacielu.

Pozostaje potajemnie wejść do środka i się przebrać.

Zjedz przynajmniej kogel-mogel. Od wczoraj nie tknąłeś jedzenia.
Cała ta sytuacja to istny kogel-mogel. Chlip!
Proszę, skarbie. Postaraj się.

Cz-czołem...
Adam?

Grrr! Można wiedzieć, gdzie się podziewałeś?
Uciekłem... bo miałem pietra.

Ale Superkwęk namówił mnie do powrotu.
Superkwęk?!
Ziew! Co to za zamieszanie?

Tak, to on... uch!
Dosyć gadania! Musisz przygotować się do zawodów.

Co się stało?
Adam wrócił, wujku. Dzięki Superkwękowi.

No, na pewno nie dzięki tobie. Umiesz tylko spać.
Każdy powinien robić to, na czym się zna, kuzynku. Che, che!

Niebawem...
To twoje pięć minut. Liczę na świetny występ.
Nie ma obaw. Czuję, że jestem w gazie.
Dziobas, szybciej! Chodźmy przygotować kamerę.

O! Co tu robisz, żółtodziobie?
Grrr! Chrup! Spytaj mojego... phi... mistrza.

Ten głupek dostał niestrawności i nie może startować.
Ajaj...

*** Pierre de Coubertin, inicjator nowożytnych igrzysk olimpijskich**

„...liczy się nie zwycięstwo,
lecz udział".
KONIEC

Mania zwyciężania
Walt Disney
SIOSTRZEŃCY
Pierwszy przybiegł Franek z MP. Drugi – Dyzio z MS.
Hura!
META
Jeee!
I.G.M.15
Gratulacje dla Młodych Pionierów. To były trudne zawody.
Dzięki.
Bieg i wspinaczka na drzewa.
To moja specjalność.

Ale...
Hop!
Rety! Zwinny jak małpa.
SIUP
Dawaj, Alvin!
Kręci mi się w głowie. Schodzę.
Przecież mówiłeś, że...
Tak, dobrze się wspinam, ale na choinkę, żeby zatknąć gwiazdę.
CMOK
Później pora na koszykówkę...
Juhuuu! 76:74 dla nas!
Co za rzut!
ZIUUU

Zobaczymy, kto pierwszy skontaktuje się z większą liczbą skautów przez Kaczernet.
Twój mistrz będzie miał z Chipsem ciężką przeprawę.
Komputery gotowe.
CHIPSY
KLIK
KLIK
KLIK
KLIK
KLIK
KLIK
Zizi/wist/x1b...
KLIK
KLIK

37:36 dla was...
Dawaj, Chips!
Hura! 81:80 dla nas. Brawo, Bit!

A zatem, w kolejnych konkurencjach...
Przeszkolenie ppoż. – 2. miejsce dla MS.
MS drudzy w zawodach kulinarnych.
Fotografia – 2. miejsce dla Hyzia.
Idziemy odnieść medale do magazynu.
Na razie!
7 drugich miejsc w krajowych finałach. Nie tak źle.
Gorzej niż źle.
Ale, druhu, drugie miejsce na 128 startujących grup.
Gadanie!

Za mało trenowaliście. Mogliście wygrać wszystko.
Ale, druhu, liczy się u...
Nie. Liczy się zwycięstwo. A teraz wszyscy do domu!
Od razu zaczniemy treningi, żeby w przyszłym roku wszystkich zmiażdżyć.

A teraz... marsz do roboty!
Kwa!
DRUH NADDRUŻYNOWY
TRZASK

Nigdy nie widziałem, żeby był taki wściekły i rozczarowany.
Przecież daliśmy z siebie wszystko.
WIRRR

Grrr! Zbytnio ich rozpieszczałem. Byłem za miękki.
DRUH NADDRUŻYNOWY

Poszukam na nich sposobu w bibliotece.

Psy... psychologia. Jest.

Uch! Ledwie dosięgam...

BACH
Jau!

Oj! Co to za tomisko?

Ile kurzu...
Kwa! Coś za jeden?
Dżin MS.
Gotowy spełnić twoje życzenia.
Uch! To chyba sen.

Nie, nie. Czujesz, jak cię szczypię?
Au! Nie tak mocno.

No, druhu... czego chcesz dla swoich Młodych Skautów?

Nowych namiotów? Autokaru? Mundurków?
Nie. Chcę, żeby zawsze wygrywali.

Moi chłopcy muszą zwyciężać.
Hę? Na pewno?

Dobrze. Będzie, jak chcesz.
PSTRYK

Dżinie! Gdzie...
PUF

Pójdę zobaczyć, co robi moja drużyna.

Druhu, Młodzi Harcerze z Kaczogrodu chcieli zagrać z nami w koszykówkę.
Dobrze.
BDĘK BDĘK
BDĘK

Ciekaw jestem, czy ten dżin...
Hura! Rzucił już 90 punktów. To rekord!
?!
SIUP
KWACZY KURIER
To istny fenomen. Chcę go w swoim klubie koszykarskim Orły Gęsiowo.
KWACZY KURIER
Och!
Pewnie, że się zgadzam.
Nie będziesz miał czasu dla Młodych Skautów.
Kariera jest ważniejsza.

Ekhem... Czekaj, mistrzu...
Nie czas na sentymenty. Wielkie hale czekają. Pa, pa!
No, wygraliśmy. W nagrodę... piknik!
Taaak!
A zatem...
I już. Naleśniki też gotowe.
?
Co za zapach!

Cóż to za zapach, Janie?
Dochodzi z pikniku Młodych Skautów.

Szybko! Muszę mieć te przepisy do swojej światowej książki kucharskiej.
Dobrze, baronowo.

I tak...
Cały świat musi poznać twoją gastronomiczną maestrię. Chcesz dalej jeść konserwy?
N-nie. Ale jestem kucharzem Młodych Skautów.

A Młodzi Skauci spełniają dobre uczynki, tak? Możesz to robić na łamach mojego magazynu „Ekspres Kuchenny".

Chodź.
Na razie, chłopaki!

Młodzi Skauci mistrzami koszykówki i patelni. Co za sukces!

Te twoje naleśniki... Ekhem...
Czyste krytykanctwo.

Następnego dnia...
Na Niedźwiedziej Górze? Zaraz zaczynamy akcję ratunkową. Bez odbioru.
WUT WUT
Niedźwiedzia Góra to bardzo dzikie miejsce...
Druh Dyzio to świetny tropiciel.
Tutaj! Jakiś ślad.
Tu jesteśmy! Och!
Wujek!
Mój śmigłowiec miał awarię i zabłądziliśmy w tej głuszy.
Zaraz z niej wyjdziemy.

Obliczę kierunek wiatru, kąt padania światła...
Hmm...
W końcu...
No i jesteśmy przy śmigłowcu.
Później w centrali...
Aha, pan Gacies, król oprogramowania?
Tak.
Pokażę panu nasze centrum komputerowe, w którym używamy tylko pańskich systemów.
Chłopcze, uratowałeś mnie. I jeszcze raz możesz ocalić, przed ruiną.
Niby jak, wujku?
Moje biura podróży padają, odkąd Kwakerfeller zatrudnił Indianę Goofsa.

Klienci uwielbiają płacić za wpadanie w tarapaty.
O, jak fajnie! Krokodyl zaraz mnie pożre!
Ruchome piaski. Super! Nie, nie ratujcie mnie od razu.
Jesteś lepszy od Indiany. Pomóż mi, a ja pomogę Donaldowi uniknąć kary więzienia za długi.
No dobrze...
Sknerusie, uratowali nas naprawdę wyjątkowi skauci.
O co chodzi?
Zabieram tego geniusza. W dziesięć minut tworzy więcej programów niż moi informatycy w rok.
A ja znalazłem swojego przewodnika.
I tak...
Chlip! Zostało mi tylko trzech skautów.

Naddrużynowy MP pęka z zazdrości. Moi chłopcy przodują we wszystkich dziedzinach, ale...
...mnie brakuje drużyny. Ech!
Kilka dni później...
Zostałem sam!
Druh Hyzio został oficjalnym fotografem prezydenta, druh Zyzio testuje sprzęt gaśniczy i...
...nawet Alvin mnie opuścił, bo wygrywa wszystkie zawody we wspinaczce po słupie.
Ech! Co ze mnie za naddrużynowy, skoro nie mam drużyny?

Grrr! To wszystko przez tego dżina.
WWF
BIBLIOTEKA
No i co? Zadowolony? Twoi skauci są wybitni we wszystkim.
Tak wybitni, że wszyscy sobie poszli.
Te, mądrala! Wyłaź!
PUF
Sobek z ciebie. Chciałeś mieć mistrzów, żeby odnieść osobisty triumf.
No, tego...
Ech! Chcę odzyskać drużynę. Dostałem nauczkę.

Pierwsze miejsce czy drugie... Nieważne. Liczy się sport i dobra zabawa.
PSTRYK
No, niech ci będzie. Hopla!

Druhu! Druhu!
To głos Dyzia.

Graliśmy z Gęsiowem i zebraliśmy baty...
...a Boczek spalił obiad.
Tak? Cudownie! Wspaniale!

Druh się nie złości?
Niby czemu? Trzeba się bawić. Zawsze chcę mieć was przy sobie.
?
Co go tak zmieniło? Jakieś czary?
Prawie. Che, che!

KONIEC

Scenariusz: Francois Corteggiani, rysunki: Giorgio Cavazzano

Idę, idę!

DIN
DON
Grrr!

Tak?
Przyniosłem pocztę.

Ech! Rachunki, jak zwykle.

Rachunek z Europy? Przecież na starym kontynencie nie mam długów.

Ale to znaczy...

Huraaa!
To zaproszenie
na igrzyska!

Bilet lotniczy, hotel... Jest wszystko.
To nie żart!

Juhuuu! Żadna
tam telewizja.

Doświadczę wielkich
sportowych wydarzeń
na żywo.

Co się dzieje,
wujku?

A to, że dostałem zaproszenie na igrzyska olimpijskie!

Ruszam od razu! Nie chcę stracić ani chwili.

Ale... ale zaraz! Kto cię zaprosił?
Nie wiem...

...i wcale mnie to nie obchodzi. Taksi!
Hej! Ale...

PIIISK
GRUCH

Poproszę na lotnisko. Oooch...
WRRRUUUM

Jesteśmy na miejscu. Grrr!
PORT LOTNICZY

G-gdzie jestem? K-kim jestem?

Chi, chi!
BARCELONA
NOWY JORK
GĘSIOWO
INDYCZÓW
RZESZÓW
A, t-tak. Samolot. Teraz pamiętam.

Wkrótce...
Kto mógł mi przysłać te bilety? Bez wątpienia jakiś anonimowy wielbiciel mojego talentu... a może wielbicielka. Che, che!

To ja. To ty? A-Te 7 właśnie wyruszył.

Zrozumiałem. Będziemy na niego czekać na lotnisku.

A zatem, kilka godzin później...
Przeżyję tu niezapomniane emocje... i wysiłek.
Jest.

Cudzy wysiłek, ma się rozumieć. Che, che!

Opis się zgadza.

Chodźmy i...

Aha! Tu pan jest.
Stój!

Czekamy już tylko na pana.
?

Jak minął lot?
W porządku, ale...

Dobrze. Najważniejsze, żeby był pan w dobrej formie. Proszę dać mi walizkę. Nie może się pan przemęczać.
Dziękuję.

Zachowanie A-Te 7 jest podejrzane. Pachnie mi zdradą.
Tym gorzej dla niego. Zapłaci za to.

Chodźmy za nim. Wręczymy mu rachunek.

Bardzo na pana liczymy. Jest pan jedynym naszym sportowcem, zdolnym...

...zwyciężyć w kilku dyscyplinach.
Co on wygaduje?

Najwyraźniej mnie z kimś myli.

I dobrze.
Z poziomu bieżni najlepiej widać zawody.

A jak już się tam znajdę, powiem, że nastąpiła pomyłka. Che, che! Spryciarz ze mnie.

Dotarliśmy na stadion. Proszę się przebrać w strój sportowy.

W co?
No co pan? Zachowuje się pan, jakby to były pańskie pierwsze zawody.

No, tego... eee... Muszę panu o czymś powiedzieć i...

Później, później!
Teraz szybko, już
jest pan spóźniony.

Niezły wybór
miejsca na
kryjówkę...

...ale z nami
nie tak łatwo...

Teraz
może być?
Tak, tak! Szybciej! Bieg
na 400 metrów przez
płotki zaraz się zacznie.

Chyba już za
późno, żeby się
wycofać.

PAF

Hej!
TUP TUP TUP TUP TUP

I wystartowali! Nasz zawodnik na pewno dobrze sobie radzi.

Ale... ale...
XI

...gdzie on się podział?

Tutaj! Jestem tutaj.

Zebrałem wszystkie. Wygrałem?
Pfff...

Co się z panem dzieje?
Mnie pan pyta?

Nie wiem, czy się śmiać, czy płakać.

Śmiać się! Śmiech to zdrowie.
Jau!
KLEP

Grrr! Wrrr!

Nie śmiać się, lecz płakać trzeba! Ale to nie ja będę płakał... rzewnymi łzami. Grrr!
Aaa!

Ratunkuuu!

Kwarak!
ZIUUU

Mamusiu! Ale się boję! Co to?

Oszczep. Wie pan, co to rzut oszczepem?
Pewnie, że wiem.

No to proszę go wziąć.
Hmm...

Jaki ostry na końcu!

Teraz!
Podaj mi oszczep.

To będzie wyglądało na wypadek.

ŚWIIIIIST
To zbyt niebezpieczne. Nie chcę mieć z tym nic wspólnego.

Trochę dalej...
Moja kolej.

Poleci w kosmos, słowo daję.

ŚWIST
Och! Co za rzut!
Jaaau!
CZAK

Taka bliskość sportowców to poruszające doświadczenie.

Ej, kolego! To twoje?

N-nie wiem.
Miałem taki, ale...
Grrr!

Możesz
policzyć
do trzech?
Jasne. Jeden,
dwa...

TRACH

...t-t-trzymajcie mnie...

Ech! A-Te 7 jest
cały... no, prawie.
Załatwimy
go. Nie martw się.
PASTA CUD

Za mną.

Chyba pora się oddalić.

Szybko! Nic i nikt mnie nie zatrzyma!

Ojć!
RYMS
PAC

Jeszcze jeden oszczep? Nie. To chyba raczej...

...tyczka.
Ach tak? Do czego służy?

Zaraz wyjaśnię. Najpierw się ją łapie, potem...

...się biegnie, a na koniec...
Tak, tak! Wiem! Muszę skoczyć. Skoczę! Skoczę!

Zaraz zdrajca będzie miał kolejny wypadek.

Kwa! Strzelają do mnie!
TRZASK
TRZASK
TRZASK

Aaa!
BACH

T-to niemożliwe. Ja...

Hej!

Do basenu!

Ciągle jest cały i zdrowy. Grrr!
Teraz go mamy. Zobaczysz.

Nie! Nie do basenu! Nie chcę!
Tak! Waśnie do basenu.

Ale... bądźmy rozsądni. Może woda jest zimna. A może...

Ojć!
PAF
PLUSK

Ź-źle się czuję...

Aaa! Teraz czuję się jeszcze gorzej!

Co on robi pod tą wodą? Śpi?

Hej! Pozostali już się wynurzyli!

Ratunku!
Och!

Ratunku, pomocy!

Dosyć tych forteli. Przechodzimy do akcji bezpośredniej.
Dobra.

To prawda, że ktoś chce cię zabić. Ja. Zabiję cię, jeśli nie...
Ale... Słowo daję. Nawet do mnie strzelali...

Aaach!

Trafili mnie! Czuję to! Żegnaj, okrutny świecie.

Ej, pajacu! To tylko starter.
Ach?

Starter, tak? No to w samą porę.

Bo właśnie
miałem zamiar
wystartować.

Mam dosyć tych
zawodów. Są zbyt
niebezpieczne.

Kwak!
Cześć,
A-Te 7.

Atesiedem?
Nie, nie, nazywam
się Donald i...

Chi, chi! Mamy uwierzyć, że nasze
wybitne tajne służby wysłały bilety
do niewłaściwej osoby?
Cha, cha!

Śmieszny jesteś,
kolego. Ale żarty
się skończyły.

Ha!
Oj!
Aj!

Lepiej skorzystać z okazji... nieważne, skąd się wziął ten ciężar.

Właśnie, skąd się wziął? Wróćcie na trzeci kadr piętnastej strony tej historyjki... a się dowiecie!

A zatem...
Nie mogę się doczekać, kiedy wrócę do domu.
PORT LOTNICZY

Jeśli o mnie chodzi, jest już po zawodach.

Następnego dnia...
Ach! Nie ma to jak...

...spokojne, codzienne życie.

Chodzić sobie bez wysiłku, zamiast biegać jak wariat i...

Co?!
...wiadomości z dzisiejszego dnia na igrzyskach.

Cicho!
Hej!
Grrr!
Nie chciałem! To był odruch warunkowy! Ratunkuuu!
KONIEC

Scenariusz: Hanne Guldberg Mikkelsen; Rysunki: Manrique

Założę się, że dostałeś cynk, Forsant. Koń musiał szepnąć ci słówko.
Założysz się?
Tutaj, panowie. Do mnie z tym szmalem.
Sypcie, sypcie.
Widzisz ile mam pieniędzy? A ty wkrótce skończysz w nędzy!
Phi! Kupowanie drogich koni i zakłady? To w złym guście, nawet jak na ciebie.
Gadaj zdrów. Nie umiesz przegrywać. Ciekawe, jak wyglądasz, kiedy nie jesteś zazdrosny.
Nie masz pojęcia o tym szlachetnym sporcie.
Założysz się?
O co chcesz.
Znowu o nakrycia głowy?
Zgoda.

Ja wybiorę konia, a ty go wytrenujesz i przegrasz gonitwę w przyszłym tygodniu. Potem zjesz swój cylinder.
Odwrotnie, mój drogi. Wygram i to ty zjesz swoją czapkę. Życzę smacznego.

A zatem...
Masz wiele beznadziejnych koni. Wybierz najgorszego. Mój talent z każdej chabety zrobi zwycięzcę.
X 340

PRYCH
Kwa!
Mam nadzieję, że wie, co robi.

NIEŚMIAŁEK (MATKA: PĄSOWA IV, OJCIEC: WSTYDEK III)
Pozwól, że przedstawię... Nieśmiałka.
Gdzie?

A niech mnie oskubią!
Rany koguta!
*
* O rany! Ale wstyd. Patrzą na mnie.

Za jednego centa będzie twój.
Skandal! To ty powinieneś mi zapłacić.
*
* Jeszcze większy wstyd! Sprzedano mnie za najniższą możliwą cenę.
*
My cię lubimy.
* Nie mogę iść, kiedy wszyscy się gapią. Zaraz... Lewe kopyto, prawe kopyto... i co dalej?

*
* Ojć!

*
SZUST
* Aaa!

*
* Rany! Co za kompromitacja.

KOP
Jauuu!
*
* Oby pozwolili mi tu zostać.

Cha, cha, cha!
*
* Lewe kopyto, prawe kopyto, lewe tylne kopyto...
I tak...
Oczywiście ja będę trenerem...
...a wy, chłopcy, będziecie mi pomagać. Donald zostanie dżokejem.
Juhuuu!
*
* Chciałbym być myszą i schować się w mysiej dziurze.

Później w Parku Kwaczaka...
Ekhem... Mojego białego rumaka zmógł katar sienny.
*
* Znowu wstyd. Dosiadł mnie kaczor z krótkimi płetwami.

Potrzebny ci nie stoper, tylko kalendarz na przyszły rok.
*
* Patrzą na mnie całe tłumy.

Znacznie później...
Widzę ich.
Prędkość – kilometr na trzy godziny.

Chcę wygrać tę gonitwę. Będę się upierał.

Grrr!
Tak, tak, tak. Ta karykatura konia nie zwyciężyłaby nawet w wyścigach ślimaków.

Jedyne, na co możesz liczyć, to pusty portfel. Ten koń ma wilczy apetyt.
Wynoś się!
*
* Dlaczego wszyscy mówią o mnie?
Tego samego wieczoru...
W zamian za te luksusowe warunki oczekuję, że będziesz pędził jak wiatr. W przeciwnym razie marny twój los.
313

Potrzebujesz tylko odrobiny czułości.
*
* Ci mali mnie lubią. To miłe... ale strasznie się wstydzę.
Następnego dnia...
Suchary ryżowe. Na pewno mu zasmakują.
Właśnie. Wypróbujemy stary numer z sucharem na patyku. Stosowałem go na swoim ośle w czasach Klondike.
Mniam!
*
* Ech! Mój dawny właściciel. Przyszedł napawać się moją klęską.
Wio!

Kwa!
Brawo!
SZUUU

Ryżowy suchar zmienił żółwia w huragan!
Mmm!

11,5 sekundy później...
Pobił zeszłoroczny rekord!
Mmm*!
* O raju! Pewnie w końcu będę mógł ugryźć.

Jeszcze się załamią. Ten koń to istny król przeróżnych dziwactw.

Teraz zobaczmy go w autentycznej scenerii.
Tak jest!
CHRUP

A zatem...
*
* I co teraz?

PAF
*
* Aaa! Mamusiu!

*
* Co?
Sucharek?

*
* Ciekawe, w którą stronę
ten sucharek poleci?

*
* Popędzę za nim!
Nie ucieknie mi.

Sprawiłeś sobie przerośniętego kreta, co? Cha, cha!

Pobił rekord z zeszłorocznej gonitwy.
KWIK

Kupiłeś konia, który cierpi na ostre stany lękowe. Miał tak, odkąd był źrebięciem.

Sprawdziliśmy regulamin gonitwy.
Przepisy nie zakazują przekopywania się pod przeszkodami.
Nie wolno ich tylko przewracać.

Zmiażdżymy konkurencję!
Nie licz na to.
*
* Czy to oznacza, że dostanę jeszcze jednego sucharka?

Tydzień później...
WIELKA KACZOGRODZKA
Che, che!
5
4
3
3
*
* Czuję się, jakbym miał coś na czole.

* Oho... Wyjątkowo atrakcyjna przedstawicielka płci pięknej.

Chi, chi, chi! Oto nasz dumny czteronogi lowelas...
*
* Ale wstyd!

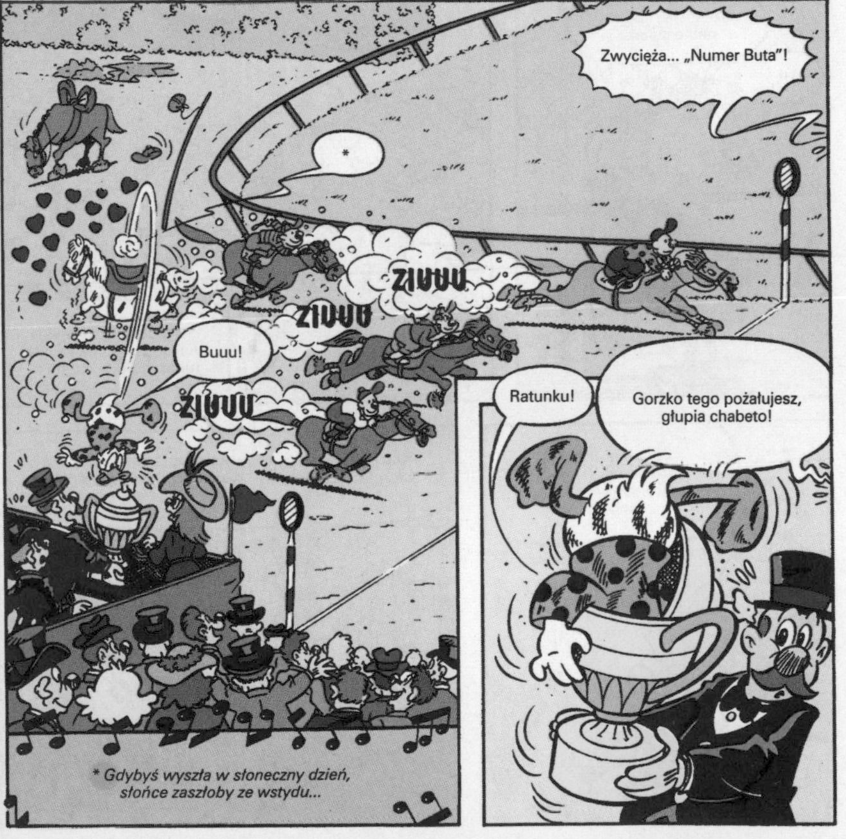
Zwycięża... „Numer Buta"!
*
ZIUUU
ZIUUU
Buuu!
ZIUUU
Ratunku!
Gorzko tego pożałujesz, głupia chabeto!
* Gdybyś wyszła w słoneczny dzień, słońce zaszłoby ze wstydu...

Oj, wujaszku! Prosimy!
Wyciągnijcie mnie stąd!

Sknerusie, czas na poczęstunek...
Hę?

Czegoś takiego szukałem.
*
* Widzę to już oczyma duszy: przytulna stajnia, tupot małych kopytek...

Czy zechciałby pan sprzedać ten cud natury do mojego cyrku za milion dolarów?
Kwa?

Kupię też jego nową towarzyszkę za pół miliona od kaczora w czapce nuworysza. Tworzą dobraną parę.

I tak...
Panie i panowie! Przed państwem Nieśmiałek, czyli kret kuty na cztery nogi!
Najlepszy cylinder, jaki w życiu jadłem.
Grrr! Dostałem tylko połowę tego co on.

KONIEC

Walt Disney

Kaczor Donald

Idol młodzieży

Scenariusz: Nino Russo, rysunki: Alessia Martusciello

Moja droga, czy dieta oparta na ciastkach to nie przesada? Już nie mówię, ile kosztują...
Wiesz, jak bardzo Zosia chce poznać Kaczora Ronalda.
Chrup!

Hę?
Dzięki tym ciastkom można wygrać cały dzień z ulubionym sportowcem.

A Zosia uwielbia tego mistrza sportów ekstremalnych.
Jesteś wielki!

Czyli jeśli wygra, czeka nas cały dzień bez walenia w perkusję?
Tak.

Szybko, skarbie! Zamów więcej tych ciastek. Zosia musi wygrać.
Che, che!

Tymczasem w firmie „Mniam”...
Pora wylosować zwycięski kupon.
MNIAM
MNIAM
Przysłała go Zosia Dalia, która prosi o spotkanie z Kaczorem... hmm... nie widać.
Niech pan pokaże.
MNIAM
Rety! Z Kaczorem Donaldem? Znam go.
Jaki sport uprawia?
MNIAM
Zdaje się, że jedyny sprzęt, jakim się posługuje, to hamak. Ale klientka dokonała wyboru, więc...
MNIAM
I tak...
Ekspresowy!
?

Czyżby twoi wierzyciele zmienili sposób przysyłania wezwań do zapłaty?
Bardzo śmieszne.
Cha, cha!

Kwa! Mam fankę!
Co takiego?

Niemożliwe. Konkurs nazywa się „Dzień z twoim mistrzem".
W dzieciństwie grałem raz w koszykówkę...

Jest tylko jedno wyjaśnienie. Chodziło jej o Kaczora Ronalda, mistrza sportów ekstremalnych.
Ale tu jest napisane „Donald". Bardzo wyraźnie.

Na razie! Idę do tych, którzy mnie szanują. Wy na mnie nie zasługujecie.

Tymczasem w domu Zosi...
BUM
BUM
TRACH
Moje biedne uszy! Mam wrażenie, że słyszę już nawet dzwony...
To dzwonek do drzwi, skarbie.
DRRRYŃ
ONE GIRL BAND

Ja otworzę. Mam nadzieję, że to dostawca z zatyczkami do uszu, które zamówiłem.

Dzień dobry. To ja. Dzięki firmie „Mniam" pańska córka może spędzić ze mną dzień.
Aha. Na żywo wygląda pan jakoś inaczej.

Ekhem... Jak by to powiedzieć... Mała chyba nie docenia szczęścia, które ją spotkało.
Mam pewne podejrzenie. Zadzwonię do firmy „Mniam".
BUM
BUM
ONE GIRL BAND
Co to za jeden? Ja chcę swojego mistrza!

Wkrótce...
Tego się obawiałem. Pomylili pana z Ronaldem. To on jest idolem mojej córki.

Ech! Dali mi też tę kartę kredytową, żeby spełnić każde twoje życzenie...
W takim razie zabierz mnie do Ronalda. Grrr!

Wracam do perkusji.
Nie! Nie sprawiaj przykrości panu Donaldowi.

Zresztą darowanemu kaczorowi nie zagląda się w dziób. Spędźcie miły dzień. Pa!
?

Ach! Odrobina relaksu.

No to od czego chcesz zacząć?
Od przyspieszonego kursu kaligrafii, żeby nie powtórzyć pewnych błędów. Grrr!

Wytłumacz mi... Czemu tamten jest lepszy ode mnie?
Zaraz wyjaśnię.

Jest silny i odważny...
A kto ci powiedział, że ja też taki nie jestem?

No tak, racja. W takim razie na pewno chcesz pójść na Most Kwaczaka.
Ekhem... No pewnie...

Chociaż nie do końca wiem, o co chodzi...
A, nic takiego.

Wnet...
Cooo? Chcesz, żebym ja...
Ronald uważa, że to bardzo odpręża.
Teraz kolejny zawodnik, McCrazy...
IJAAAAAA

Też bym to zrobił, ale nie mam liny, więc...
Zaraz rozwiążę ten problem, czekaj.

Ej, mistrzu! Ten pan pożyczy nam linę.
Jak... eee... miło... Brrr!

No i co?
Tak, tak... Zaraz skoczę. Raz... dwa...

Pomogę ci. Trzy!
Aaaaaa!

Rety! Zaplątał się jak baleron.
PTIONG
?
Ratunku!

Widziałaś, jaki jestem dzielny? Nawet Ronald by tak nie skoczył...
Tak, twój styl jest bardziej... charakterystyczny.
Muszę ją do siebie przekonać i sprawić, żeby zapomniała o Ronaldzie, przynajmniej na jakiś czas.
Za mną.
Wkrótce...
Mlask! To moja siódma kanapka. Ten twój Ronald też by tyle zjadł?
Phi! To nie jest dieta mistrza.
Ale to moja dieta, dobra?
Auć!
PAC
ZIUUU
Aaaaaa!

Ale co...
PLAŚK
Aj!
GRUCH
Przepraszam!
Ja... ja...

...za wszystko
zapłacę.

Cha, cha! Słoń
w składzie
porcelany.
Grrr! Śmiejesz
się z cudzego
nieszczęścia?

Czemu się złościsz?
Chciałeś, żebym
dobrze się bawiła.
I się udało.
Grrr!

Później...
Ekhem... Podobają
ci się zabawki?
Skoro firma
funduje... Chodź,
wezwiemy
taksówkę.

Uch! Wózek się zablokował.
To przez kamyk. Czekaj, zajmę się tym.

O nieee! Zjeżdża w dół!
RRRUMS

Ratunkuuu!

Grrr! Stój! Złamałeś wszystkie możliwe przepisy!
Z drogi!
Aaa!
Rety! UFO przecięło mi drogę.
PIIISK

Nieee! Tylko nie to!
KRYSZTAŁY KWAROWSKI

A jednak... Chlip!
TRACH
BRZDĘK

Poczekaj, droga Zosiu. Rozliczę się z panami i już idę.
Chwila nie wystarczy na nasze rozliczenia. Grrr!

Wkrótce...
Może niepotrzebnie zabierałam ten kamyk.
A skąd. Dzięki temu pokazałem ci, że jestem równie nieustraszony jak twój idol. Uch...

No dalej, co jeszcze umie twój przyjaciel? Zawsze go przebiję.
Naprawdę chcesz spróbować swoich sił na lotni?

Niebawem...
Ronald jest rekordzistą w długości lotu.
Ojć! Kiedy nauczę się trzymać dziób na kłódkę?
Wiesz, nie sądziłam, że potrafisz...
Bo nie potrafię. Może jednak lepiej pokonać Ronalda w innym sporcie i...
Ale...
Kwa! Kto mnie popchnął?
WIUUU
B-b-boję się! B-b-bardzo!
No, no! Nieźle!

Ha! Nabieram pewności. Tym razem zrobię wrażenie na tej małej.

To dobre miejsce na próbę lądowania. Prawie wcale nie ma tu przeszkód terenowych.

ŁUBUDU

Świerk! Jeden jedyny. A on w niego trafił.
No właśnie. Ajajaj! Wykazałem się niezłą celnością.

Później...
Przykro mi, że musiałaś stracić czas na ostrym dyżurze.
E tam. Nie szkodzi.

Niczym jej nie przekonam, żeby zapomniała o tym Ronaldzie.
Hmm...

Wiem! Celebryci, jak już spędzą dzień z fanami, pokazują, jak żyją na co dzień. Chcesz poznać moich siostrzeńców?
Czemu nie?

A zatem...
Chłopcy, to jest Zosia. Pobawcie się razem, a tymczasem ja...

...dokonam w myślach podsumowania swoich wyczynów. Che, che!

Ale, kilka minut później...
Dosyć! Nie możemy już słuchać o tym Ronaldzie.

Ech! Patrzcie, jak to się robi. Zosiu, w co chcesz się pobawić?
W tę reklamę lodów, w której wystąpił Ronald.

Nigdy jej nie widziałem. O czym jest?
Ty, Ronald, jesteś kowbojem, przywiązanym do pala.

Zachowujesz spokój, ale kiedy tylko dotknę twoich lodów...
...dostanę szału, tak?

W zamrażalniku widziałam opakowanie lodów. Idę je zjeść. Che, che!
Tylko nie zjedz wszystkiego! Bo ci zaszkodzi.

W reklamie... mlask... Ronald sam się uwalnia i... mlask... powstrzymuje czerwonoskórych.
Hyyp! Kiedy w telewizji dają reklamy, zmieniam kanał.

Muszę się uwolnić!
TRZASK

Aaa!

Nieee!
BRZDĘK

W reklamie było inaczej. Powinieneś zerwać sznury, napinając mięśnie brzucha.
Zrobiłem coś więcej. Rozwaliłem wszystko. Chlip!

Później...
Ojoj! Wydałem dzisiaj majątek na opatrunki.
Lepiej ci?

Nie. Poza wszystkim, pora zabrać cię do domu. Chodź.

Ech! Naprawdę się cieszy, że się mnie pozbędzie.
Tralala!

W sumie się jej nie dziwię. Jestem ciamajdą, a w dodatku pechowcem.

Jesteśmy na miejscu.
DRRRYŃ
Nie mogę się doczekać, kiedy opowiem wszystko rodzicom.

Ojej! Co się panu stało?
A, nic takiego. Pobiłem wszystkie rekordy w pechu.
Mamo! Mamo!
Dobrze się bawiłaś, kochanie?

Jeszcze jak! Donald jest super!

Ronald jest silny, ale Donald też ma wiele zalet.
N-naprawdę? A wydawałaś mi się taka ponura i zamyślona...

To prawda. Myślałam o tym, jaki jesteś hojny.

A ten uśmiech, kiedy odprowadzałem cię do domu... to nie była ulga?
Nie. Zadowolenie. Przeżyłam miły dzień i koniecznie chciałam o nim opowiedzieć.

Teraz rozumiem, że między tobą a Ronaldem jest tylko jedna głoska różnicy. Mam nadzieję, że wygram jeszcze jeden dzień z tobą.
Wystarczy, że do mnie zadzwonisz. Che, che!
Proszę się rozgościć. Wydaje się pan zmęczony.
Ja? Nigdy nie czułem się lepiej.
Dziękuję za wszystko. Jesteś moim mistrzem.
T-to ja dziękuję.
CMOK
I tak...
Życie składa się z drobnych powodów do satysfakcji...
Cześć, Donaldzie! Widziałeś, kto tu jest?
Wielki Ronald, idol tłumów. Hej! Ale...
Nie wiesz, czym się od niego różnię? Powiem ci: tylko jedną głoską. Cha, cha!
KONIEC

WUJEK SKNERUS

Nowy stadion

A zatem w barach...
Tysiące kibiców... tysiące kanapek!

...i na dworcach...
Tysiące kibiców... tysiące bagaży. Ech!

A wujek Sknerus? Jak przyjął tę informację?
UOAAAAAACH
Ojoj! To wrzask piątego stopnia.

Wujaszek pogrążył się w czarnej rozpaczy.
Jak to? Przecież nie interesuje się piłką.

Chodźmy zobaczyć, szybko.

Wkrótce...
Kwa!
Wujku, co się dzieje?
Dramat! Klęska! Tragedia!
DO PRZERWY 0:1

Żegnaj, okrutny świe... Hej!
Stój!

Co się wtrącasz? Pozwól mi rozpaczać.
Doskonałe aktorstwo wujaszku, ale nie...

...przesadza... aaaj!
Ojć!

Aaaaaa!
Jauuu!
RYMS

Rety! Pomóżmy im, szybko.
Uch! Ratunku!
Ale boli! Ajajaj!

Przeklęte worki! Co jest w środku?
Złote babole z wyspy Mami-Mami. To tamtejsza waluta.

Ale ból, który mogą zadać, to nic w porównaniu z cierpieniem z powodu nowego stadionu.
Że co?

O co ci chodzi? Jedyna odpowiednia działka w Kaczogrodzie jest w twoich rękach.
Już nie, mój drogi.

Akurat tydzień temu sprzedałem ją nieznanej spółce Betton SA. Wtedy oferta wydawała się atrakcyjna.

A teraz miliony przejdą mi koło dzioba. Buuu!
Och!
Niezły klops.

Ale zostaje ci wyłączność na sprzedaż napojów na stadionie.
Ech! To drobniaki. Prawdziwy biznes robi się na zewnątrz.

Co tydzień tysiące kibiców jadą na stadion i korzystają z autostrad... parkingów...

Oblegają bary... sklepy... stragany z szalikami, koszulkami i flagami...

Na myśl o tych wszystkich miliardach, których nie zarobię?
Pierze się jeży na głowie...

Kichać na miliardy! Chodzi o nasz Kaczogród.
A co to ma do rzeczy?

To poważne zagrożenie ekologiczne dla miasta.

Resztkom zieleni, które tu zostały, grozi zniszczenie...
...a na jej miejscu pojawi się masa betonu.
Głupie gadanie.

Nie da się powstrzymać postępu... a tym bardziej piłki nożnej. Nowy stadion to pieniądze dla wszystkich... i wszyscy na nim skorzystają, z miastem na czele.
To prawda. Pomyśl o tym.
Ale pod pewnymi warunkami.

Musi istnieć coś takiego jak stadion z ludzką twarzą... i kaczym dziobem.
Po pierwsze, można by go zbudować na peryferiach...

...żeby w centrum nie było jeszcze większych korków...
...i żeby nie zwiększać stężenia smogu.
Hmm...

Kaczogród pozostałby taki jak dawniej...
...a kibice dostawaliby się na stadion, a potem go opuszczali w znacznie krótszym czasie.
Parcele na peryferiach są moje. Hmm... hmm...

No jasne. Istnieje pewna szansa. Czemu wcześniej na to nie wpadłem?

Zaproponuję burmistrzowi przetarg ekologiczny.
Brawo, wujaszku!

Muszę zmobilizować swoich inżynierów. Otwarcie przetargu przewidziano na jutro.

Nazajutrz...
Zapraszam uczestników przetargu.

Kwa! Kwakerfeller?
Kwa! McKwacz?

Gdybyś nie wiedział, jestem prezesem spółki Betton SA.
Co takiego?

Czyli to ty zwinąłeś mi tę działkę?
Zgadza się. Gdybyś wiedział, nigdy byś mi jej nie sprzedał.

A tak, gdy tylko dostałem wiadomość o nowym stadionie, złożyłem ci ofertę, której nie mogłeś się oprzeć.
Oszukałeś mnie! Kwrrr!

Panowie, proszę! Przestańcie.
Naciągacz!
Naiwniak!
PRASK
BACH

Przyszliście tu na przetarg, a nie pojedynek bokserski.
Grrr!
Wrrr!

Dopiero po przedstawieniu projektu stadionu odpowiedniego dla miasta możecie liczyć na pozwolenie na budowę.

W przeciwnym razie stracicie niepowtarzalną okazję, a nasze miasto okaże się zacofane i prowincjonalne.

Nic takiego się nie zdarzy. Przygotowałem projekt, który odmieni oblicze Kaczogrodu.

Kazałem zbudować makietę. Do środka!
PSTRYK

Projekt wykorzystuje działkę w centrum, którą kupiłem za psie... ekhem... za duże pieniądze od McKwacza. Stary stadion zostanie powiększony do stu tysięcy miejsc.

Dzięki estakadzie, zbudowanej w miejscu zrównanego z ziemią parku...

...kibice w ciągu kilku minut dotrą na trybuny.
A my będziemy wdychać całe tony smogu.

I tu się mylisz, chłopcze. Po przyjeździe samochody przecież wyłączą silniki...

...bo znajdą miejsca na ogromnych parkingach...

...wytyczonych w miejscu osuszonej rzeki. Oczywiście pomyślałem też o hotelach, dyskotekach, barach...
Hmm...

A pan co proponuje?
Ja? No, tego, ja...

...jestem zwolennikiem natury. Pora skończyć ze zubażaniem miasta.

Może wśród tego betonu kibicom będzie wygodnie... ale gdy już wyjadą, zostaniemy w mieście, w którym nie da się żyć.
To co pan proponuje?

Nowy stadion na peryferiach.
Grrr...

Tylko w ten sposób ocalimy miasto od korków.
A ty zarobisz miliardy! Wszyscy wiedzą, że ziemia na obrzeżach należy do ciebie.

No i co z tego? Zarobek to nie grzech.
Ale naciąganie – już tak. Nowy stadion będzie kosztował znacznie więcej.

Za to zaoszczędzimy na drogach.
Proszę go nie słuchać. Przedsiębiorcy i hotelarze, pańscy wyborcy...

...zanotują znaczne zyski.
A Kaczogród się unowocześni.
Ale... ale...
Straci na tym całe miasto...
...które nie będzie mogło spokojnie żyć.

Dosyć tego!

Prosimy, panie burmistrzu, niech pan przyjmie propozycję naszego wujka. Jeśli w centrum zbudują tę estakadę, zniszczą setki drzew.

Mniej drzew, ale więcej głosów. Wybory już blisko, panie burmistrzu. Jeśli to ja wygram przetarg, panu będzie znacznie łatwiej...

...zostać na kolejną kadencję... Uch!
Wolnego! Też jestem mieszkańcem Kaczogrodu i chcę dobrze żyć.

Można pogodzić interesy i ekologię. Ogłaszam, że przetarg wygrywa pan McKwacz.
Huraaa!

A co do wyborców... wolę wielu wdzięcznych i zadowolonych obywateli od garstki wspólników na styku biznesu i polityki.
Aaach!

Proszę pamiętać, że ma pan tylko trzy miesiące na budowę nowego stadionu.
Nie zawiedzie się pan.

A zatem...
Czasu jest niewiele, ale damy radę.
ZGRZYT

Znaleźliśmy gniazdo przepiórek. Co z nim zrobić?
Zanieść do specjalnego ośrodka, który tam urządziliśmy.

Eksperci znajdą im nowe siedlisko i pomogą się zaadaptować.
Gratulacje, wujaszku.

Mamy też specjalną ekipę, która zajmuje się przenoszeniem drzew.
Powoli, powoli!

A do oceny wpływu środowiskowego zatrudniliśmy prawdziwych artystów.
No i co, mistrzu? Jaki kolor będzie najlepiej pasował do krajobrazu?

Zgodnie z obietnicą, wszystko postępuje z pełnym szacunkiem dla przyrody.
Hmm...

Co z ciebie taki ekolog? Zwykle wy, kapitaliści, nie przejmujecie się drzewami czy ptaszkami...
Kapitaliści też mają serce, wiesz?

Mam nadzieję, że będą je mieli też Kaczogrodzianie i, wdzięczni, że okazałem miastu taką miłość...

...masowo kupią karnety na nowy stadion.
Ale z ciebie spryciarz.

Tymczasem...
Niech pan spróbuje tych meloników z farszem, szefie. Przynajmniej zje pan coś pożywnego.
Wrrr! Mlask! Chrup! Grrr!
KF

Wrrr! Stary centuś pokonał mnie na całej linii.
KF

Najpierw kupiłem jego stary stadion i ziemię w centrum. Dokonałem bezsensownej inwestycji...

...a teraz on jeszcze zyskuje powszechną sympatię.
Przedsiębiorca ekolog robi wrażenie. Ludność trzyma za niego kciuki.
KF

Nie cierpię ekologii!
Kosztowała mnie miliardy!
BAM

Ech! Protesty
nie wystarczą.
Muszę znaleźć
jakąś radę.
Jaką? McKwacz wygrał
przetarg i...

...i ma tylko trzy miesiące
na budowę. Może się nie
wyrobić.

Zwłaszcza jeśli ktoś będzie
mu rzucał kłody pod
płetwy.
Och! Co chce
pan zrobić?
KF

Opóźnię prace McKwacza.
Burmistrz będzie zmuszony
do zmiany planów.

Pozostanie mu tylko rozbudowa starego
stadionu... czyli
mojego.
Bardzo dobry
pomysł... chociaż
ryzykowny.

Wiem, matołku. Będziemy działać przez podstawione osoby.
Ale Bracia Be siedzą w więzieniu...

Pal sześć Braci Be! Tym razem skorzystamy z prawdziwych zawodowców.

Następnego dnia...
Oho! Ogłoszenie Kwakerfellera.
AAA SZUKAM PRACOWNIKÓW GOTOWYCH NA WSZYSTKO – SKRYTKA POCZTOWA 2345

Bezczelny! Szuka gdzie indziej, kiedy my jesteśmy tutaj.
Ech! Jeszcze tydzień posiedzimy w więzieniu.

Skąd wiesz, że to Kwakerfeller?
To jego skrytka pocztowa. Kiedyś próbowałem się do niej włamać.

Zaraz napiszę do tajnych służb złodziejskich, żeby dowiedzieć się więcej.
Cokolwiek knuje Kwakwerfeller, będzie miał z nami do czynienia.

Tymczasem...
...napady... rozboje... sabotaż...
KF

Macie świetne referencje. Zatrudniam was.

Żadnych ewidentnych przestępstw. Macie tylko sprawiać trudności, które będą wyglądały na przypadek.

McKwacz nie zdoła dokończyć robót, a wtedy zlecenie przejdzie na mnie.

Jeśli wszystko dobrze pójdzie, dostaniecie to.
Mniam!
$

Nazajutrz...
Dalej. Wylewajcie beton na fundamenty.
WRRR

Che, che!
BULG
PLUSK

Och! Co się dzieje?
BUL
BUL
BUL

O nie! Ktoś wsypał sodę do wykopu.
I teraz tworzą się bańki. Trzeba to wszystko zburzyć.
Kwak!
BUL
BUL

Niedaleko...
Skończyłeś?
Tak. Możemy zadzwonić.

WRUM
W samą porę. Che, che!

Zgodnie z projektem, tutaj staną szatnie.
WRRRUUUM

Och! Co się dzieje?
TRACH

Rety! Posąg. Wygląda na starożytny.
Co takiego?

To bez wątpienia znalezisko archeologiczne.
Stać! Nie ruszać się!
MUZEUM KACZOROWE BRYGADA INTERWENCYJNA

Odebraliśmy anonimowy telefon, że dokonano tu ważnego odkrycia. Trzeba wstrzymać prace.

Gdzie indziej...
Tutaj będzie boisko. Zasiejmy trawę już teraz, to zyskamy na czasie.

To odmiana o przyspieszonym wzroście. Che, che! Już zaczyna kiełkować.
PAC
PAC

Ale, kilka dni później...
Kwarak! Niech to gęś! Ktoś podmienił nasiona.

Po wielu dniach...
Stalowa konstrukcja zadaszenia już gotowa. Trzeba ją pomalować, żeby nie zardzewiała.

Ładnie pachnie ta farba. Kwiatami.

Ojć! Pszczoły! Tysiące pszczół!
Aaa! Ratunku!
BZZZZZ

BZZZZZZ
To przez farbę. Ktoś dolał do niej nektaru i zwabił wszystkie owady z okolicy.
Musimy ją zmyć i zacząć malowanie od nowa.
Buuu! Chlip!

Jak było do przewidzenia...
Przykro mi, ale na pewno nie skończy pan w przewidzianym terminie.
Buuu!

Pozostaje tylko przejść do alternatywnego projektu pana Kwakerfellera.
Chlip!
Che, che!

Oczywiście, o ile pan zdąży.
Spokojna głowa. Znamy się na robocie.
Grrr! Jakby to nie była twoja wina.

Maczałeś w tym płetwy, sabotażysto.
Phi! Masz dowody? Jeśli nie, nie rzucaj oskarżeń.

Mogę się za to sam na ciebie rzucić!
Aaa!
Panowie!
ŁUP
CUP
CHAPS

Mam dosyć tych scen. Wynocha!

I tak...
Buuuuuu!

Jestem załamanyyy!
To wszystko przez Kwakerfellera. Bez dwóch zdań.
Ale nie możemy tego udowodnić. Ech!

A buldożery tego potwora zmienią nasze miasto w koszmar.
WRRRUM
ZGRZYT

WRRRUM
Dalej! Naprzód!
TRZASK

WRRRUM
Do wieczora park ma być zrównany z ziemią. Za tydzień chcę tu widzieć słupy nowej estakady.
Rozkaz!

Będzie przebiegała blisko mojego biura. Nieruchomość od razu zyska na wartości.

Co pan na to, szefie? Dobrze się spisaliśmy?
Doskonale. Kawał dobrej roboty.

Na tyle się umówiliśmy.
Gdyby jeszcze nas pan potrzebował, wie pan, gdzie nas szukać.

Brawo, chłopaki! Są lepsi od Braci Be.

A w tej właśnie chwili wyżej wspomniani...
Nareszcie znowu wolni!
I gotowi do walki z konkurencją. Grrr!

Tajne służby złodziejskie donoszą, że Kwakerfellerowi pomogli bracia McSzaber.
Wiem. I mam już plan.

Kaczogród to nasz teren. Kwakerfeller i McSzaberowie pożałują, że o tym zapomnieli.

Po jakimś czasie...
Ale fajnie, chłopaki!
PENSJONAT U KORSARZA

To był bardzo zyskowny interes.
PUK
PUK

Tak?
List do panów.

Kto mógł go napisać? Nikt nie wie, że tu jesteśmy.
Może to kolejna robota od Kwakerfellera.

Nie. To plan skoku na jego szkodę.

Nowa estakada przebiega o parę metrów od jego budynku.
To bardzo ciekawe... I wygodne.

A zatem, tej nocy...

Najnowsze wiadomości!
Okradziono skarbiec
Kwakerfellera!

Złodzieje wykorzystali plac budowy.
Rozbili ścianę i wszystko wynieśli.
Oooch...

Cha, cha! Kwakerfeller nie
odważy się na nas donieść.
Za dużo wiemy na jego
temat.

Kwakerfeller pomyśli dwa
razy, zanim znowu dogada
się z naszą konkurencją.

Ale numer! Gdybym
wiedział, kto to zrobił,
dałbym mu premię.
Myślisz, że to
coś zmieni?

Pewnie! Robotnicy
i maszyny słono kosztują.
Niech no tylko wieść
się rozniesie...

Wczoraj był dzień wypłaty! Na co pan czeka?
Nie dostałem pieniędzy za cement.
A ja za cegły i kostkę brukową.
Cierpliwości, przyjaciele...
ZAPŁAĆ PODWYKONAWCOM!
DAWAJ PIENIĄDZE, KRWIOPIJCO!

Po kradzieży straciłem płynność finansową. Ale wszystko zapłacę.
Gwiiizd!
Buuu!

Dajcie mi trochę czasu, a wszystko odzyskacie.
Tere-fere! Ja odchodzę.
Ja też.
FORSY!
BEZ KOŁACZY NIE MA PRACY!

Nie możecie mnie zostawić!
Sam sobie buduj ten stadion.
Nie zamierzamy harować za friko.
DAWAJ FORSĘ!

Burmistrz pilnie wzywa pana do ratusza.
Chlip! I co ja mu powiem?

Robotnicy pana porzucili? I jak pan zbuduje stadion?

Nie mam pojęcia. Chlip!
Dobrze ci tak. Che, che!

Zlecenie wraca do pana. Jest pan naszą ostatnią nadzieją.
Przyjmuję ten zaszczyt. Che, che!

Ale jak to zrobisz, wujku? Czas goni.
Nie doceniacie mnie.

Spokojnie. Dziś w nocy wpadłem na pewien pomysł.
A zatem, w wyznaczonym terminie...
Naprzód, Kaczogród!
MECZ OTWARCIA NOWEGO STADIONU

KLASK
KLASK
KLASK
Przeniosłeś mecz do skarbca? Genialny pomysł, wujaszku!
Podobno każdy stadion musi mieć opóźnienie.

Pod tysiącami czujnych spojrzeń moje pieniądze są bezpieczne jak nigdy.

A opancerzone furgonetki świetnie się nadają do przewozu kibiców.
Proszę wysiadać.

W dodatku najlepsi piłkarze znaleźli się we właściwym miejscu. Są tyle warci, że skarbiec jest w sam raz.
Przyniósł pan chlubę naszemu miastu.

Kaczogród stał się stolicą piłki nożnej.
Che, che! Nikt nie ma piękniejszego...

...i oryginalniejszego stadionu od nas.
GOOOOOOL
$
KONIEC

Walt Disney
KACZOR DONALD
Sportowiec uniwersalny
Grecja! Słońce, morze i letni wypoczynek...
„...liczne stanowiska archeologiczne w Grecji dostarczają bezcennych starożytnych znalezisk..."
D-2751-5

Prawda! Jedno jest nawet tuż obok.
STANOWISKO ARCHEOLOGICZNE

Grecja to muzeum pod gołym niebem. Ciekawe, ile jeszcze skarbów czeka na odnalezienie.

Hmm...

Może coś kryje się i tutaj? Che, che! To by było dopiero sensacyjne odkrycie.
SZUST

Kwa! Czy to...

Juhuuu! Starożytne naczynie. Dostanę za nie furę szmalu!
?

Hola, kaczorku!
Chce mi pan pogratulować znaleziska?

Nie! Chcę dać panu nauczkę. Nie cierpię, jak ktoś zaśmieca plażę skorupami dzbanów z restauracji.
KOP

Grrr! Nie śmiejcie się. Każdy mógł się pomylić.
Cha! Cha! Cha!

Grrr! Kąpiel w morzu ukoi moje nerwy.

Ten niemiły ratownik ciągle się gapi. Lepiej odpłynę trochę dalej.
WRRRUM

I tak...

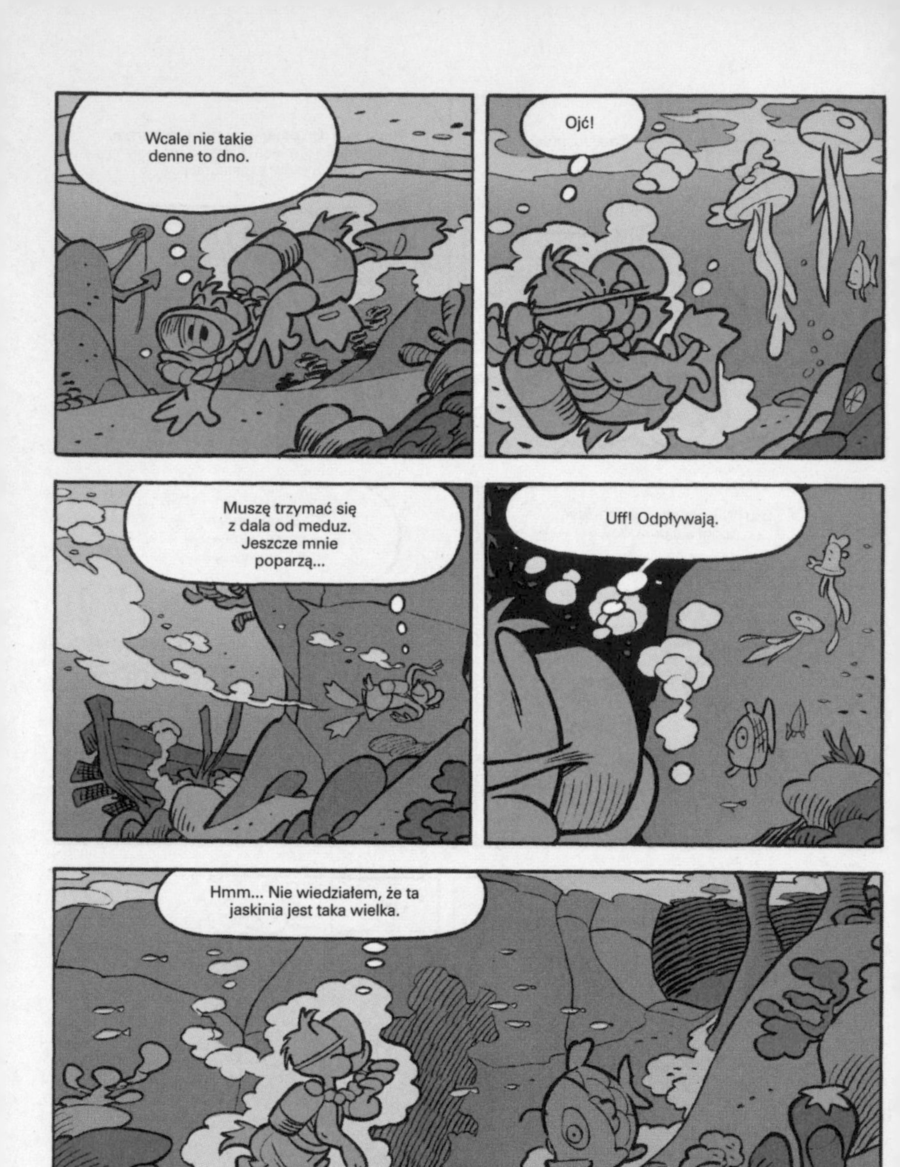
Wcale nie takie denne to dno.
Ojć!
Muszę trzymać się z dala od meduz. Jeszcze mnie poparzą...
Uff! Odpływają.
Hmm... Nie wiedziałem, że ta jaskinia jest taka wielka.

Kwa! To pewnie...
znowu skorupy
z restauracji.

Wnet...
Pokażę ratownikowi, że
dbam o środowisko...
WRRRUUUM

...wyrzucając je do
śmieci.
?!

Co robisz, wujku?
To przecież
starożytne płytki
ceramiczne.
Cooo?

Czyli to... hura!
To naprawdę cenne
odkrycie!

Szybko, chłopcy!
Zanieśmy je do
muzeum!

I tak...
To w istocie wspaniałe znalezisko. Moje gratulacje!
MUZEUM

Nie mogę się doczekać tłumaczenia tych starożytnych greckich napisów.

Później...
Ojej!
Odkrył pan coś ciekawego, profesorze Amforakis?

„Coś ciekawego" to mało powiedziane. Ta inskrypcja to opis pierwszych w historii igrzysk olimpijskich.

„Zawody noszą taką nazwę, bo organizowano je na cześć bogów Olimpu".

Uczestniczył w nich wybitny mistrz, który zwyciężył we wszystkich konkurencjach. Sam Zeus, pełen podziwu dla takiego talentu, nagrodził zawodnika...

...darem przekazywania zdolności sportowych potomkom.

Dalszy ciąg znajduje się na drugiej tabliczce. Tu czytamy, że „nikt nigdy nie dorównał jego atletycznym wyczynom". Nazywał się...

...Donaldos!
Kwa! To prawie tak jak ja.

Łapiecie, chłopcy? Może to był mój przodek!
Nie za bardzo ponosi cię fantazja?

No ale... patrzcie! Na kolejnej tabliczce widać portret Donaldosa.
?

Kwa! Wykapany ja.
DONALDOS

Wiedziałem, że jestem stworzony do wielkich rzeczy, a to najlepszy dowód. Jako potomek tego wszechstronnego zawodnika na pewno jestem tak dobry jak on.
Coś ty? Chyba nie wierzysz tę bajkę?

Co pan o tym sądzi, profesorze?
Trudno się z wami nie zgodzić, chłopcy. Opowieść, chociaż fascynująca, nosi znamiona fikcji.

Czyli zgadzamy się w całej rozciągłości.

BRZDĘK
Wujek w ogóle nie ma sylwetki sportowca.

Nocą w hotelu, w którym mieszkają kaczory...
HOTEL

...Donald ma dziwny sen...
„Ej! Ty musisz być Donaldosem".
„We własnej osobie, mój drogi potomku".
„W tobie ożywię swoje legendarne umiejętności sportowe".
„Jesteś moim spadkobiercą".
„Kwa!"
„Chrrr..."
„Spadko- biercą..."
„Spadko- biercą..."
Spadko- biercą.

Rankiem Donald opowiada swój sen siostrzeńcom.
To pod wpływem wczorajszych wydarzeń, wujku.
Ech! Denerwujecie mnie, niedowiarki.
SCHRUP

Pomyśl tylko.
To przecież ciąg zbiegów okoliczności.

Profesor Amforakis na pewno to potwierdzi.

Hmm... Mnie też zastanawia sen waszego wujka.

Znam tylko jeden sposób, żeby poznać prawdę. Poddamy go próbie.

Jeśli rzeczywiście jest tak wyjątkowy jak Donaldos, niech to udowodni.
Tak też zrobię.

Chodźmy do zatoczki i...

„Przepłynę trzy kilometry aż do wysepki. Wy, razem z profesorem, czekajcie tam na mnie”.
Pobiję wszelkie rekordy. Wreszcie was przekonam, niedowiarki.
PLUSK
PLUSK

Okej, mistrzuniu. Pokaż, na co cię stać.
PLUSK

PLUSK
PLUSK

Przyniosłem coś na ząb. Jestem pewien, że minie...

Kwa! Już tu jest!
Uff...

Kwa! Już tu jest!
Uff... puff...

Ale... ale jak udało się panu w kilka minut przepłynąć taki dystans?

Sam nie wiem. Płynąłem... aż nagle znalazłem się tutaj.
Nie do wiary!

A dla mnie to oczywiste. Energia Donaldosa pomogła mi tego dokonać.
Hmm...

Na początku byłem sceptyczny, ale wynik próby mnie przekonał.
Jejku! Czyli to... najprawdziwsza prawda!

faktycznie jesteś spadkobiercą największego sportowca wszech czasów!
Huraaa!
Juhuuu!

Wiem, jak wykorzystać ten dar.
XYZ

Pojadę na igrzyska do Pekinu i rzucę na kolana cały świat.

* Kaczy Ogólnoświatowy Komitet Olimpijski

Prezes nie wyraził zgody.
TRACH
Hmm...

Mam pomysł, jak temu zaradzić.
Ty masz pomysł? Chyba uderzyłem się w głowę mocniej, niż sądziłem.

Cicho! Słuchaj. Jeśli zagwarantujesz prezesowi KOKO wspaniałego sportowca w reprezentacji Kaczogrodu...

Sportowca zdolnego wygrać w każdej dyscyplinie... wyłączność będzie twoja.
Ech! A gdzie ja znajdę takiego mistrza?

Masz go przed sobą. Właśnie przyszedłem prosić cię o pomoc w zgłoszeniu na igrzyska.
Cooo?!

Odbiło ci, ptasi móżdżku? Chciałeś mnie nabrać, ale nic z tego.
PRASK
Jau!
Wujek Donald mówi prawdę. Musisz wiedzieć, że... ple, ple, ple... Donaldos...
Mój drogi! Wybacz, jeśli byłem... ekhem... zbyt surowy.
„Biegiem do siedziby KOKO..."
Czyli pański siostrzeniec to najlepszy sportowiec świata?
KOKO
Niezły dowcip, panie McKwacz. Niestety, jestem bardzo zajęty.
Ejże! Nie czas na sarkazm, panie Regge.

Telefon do wybitnego znawcy tematu profesora Amforakisa rozwieje wszelkie wątpliwości.
!
Zgadza się. Donald jest rzeczywiście wszechstronnym sportowcem. Byłem świadkiem jego niezrównanego wyczynu.
Hmm... Skoro tak... Dobrze, ma pan całkowitą wyłączność...
Huraaa!
Ale stawiam pewien warunek. Jeśli Donald nie zdobędzie chociaż jednego złotego medalu, wypłaci pan KOKO odszkodowanie w wysokości fantastyliarda dolarów.
Hmm... Jesteś pewien, że...
Phi! Podpisuj śmiało, wujaszku.
KONTRAKT
Nie zawiedziesz się. Che, che!
1
2
3

Następnego
dnia odbywa się
otwarcie igrzysk
olimpijskich
w Pekinie...

Nie mogłem odpuścić tego widowiska. Te igrzyska przejdą do historii dzięki udziałowi największego sportowca wszech czasów.
Jest! To wujek Donald.

Jest kapitanem reprezentacji Kaczogrodu.
KACZOGRÓD

Cha, cha! To będzie mój wielki triumf.

Wzruszyłeś się, wujaszku?
Chlip!

Płaczę ze szczęścia, gdy pomyślę o miliardach, które zarobię...
Cha, cha, cha!

Igrzyska się zaczynają...
Podsumowujemy kolejny dzień zawodów...

Jutro czekają nas nowe konkurencje i nowe rekordy. Do zobaczenia.
Inni zawodnicy zaczęli rozgrzewkę. Wujku, nie sądzisz, że...

Powinieneś zrobić coś więcej niż godzinne ćwiczenia w siłowni hotelowej?
E tam! Tyle wystarczy, żebym był w formie.

Nie zapominajcie, że jestem... hyyp... potomkiem legendarnego Donaldosa.

Wybrałem trzy... puff... uff... konkurencje, w których wystartuję.
SKRZYP
SKRZYP

Dlaczego tylko trzy?
Nie chciałem przesadzić, skoro mam tak olbrzymią przewagę... Che, che!

Następnego dnia...
Nie mogę się doczekać, kiedy zobaczę Donalda w akcji.

To on! Właśnie wchodzi na rozbieg.

Kaczor Donald z Kaczogrodu przygotowuje się do skoku o tyczce.
LOLA COLA
SZARE MYDŁO

W górę, Donaldzie! W górę i dalej!

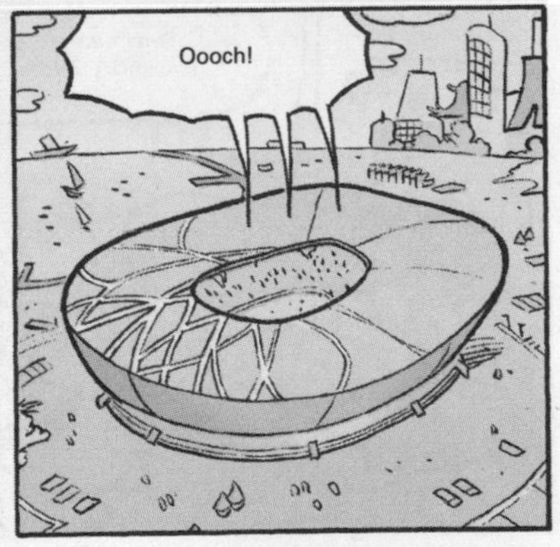
Oooch!

Z wrażenia zaparowały mi okulary. Ile skoczył?
Ekhem... Dwa metry...

...poniżej poprzeczki.
Kwak!

Na początku trema może płatać takie figle. Na pewno się poprawi, zobaczycie.

A jednak...
Donald zostaje wyeliminowany.

Grrr! Katastrofo na kaczych płetwach! Ofermo, jakich mało!
Ojć!

Hmm... hmm...
Dlaczego mi się nie udało?

No jasne... Już wiem.

Nie udało się, bo nie było przy mnie Donaldosa.
Grrr! Co ty wygadujesz?

To jasne! Jest za daleko, dlatego nie odbieram jego zdolności sportowych.

Gdybym tu miał płytkę z jego podobizną, wszystko poszłoby dobrze.
Hmm... To możliwe.

Zajmę się tym. Zadzwonię do swojego muzeum w Grecji...

„...i zorganizuję szybki transport".
WRRRUM
Dosyć wymówek! Masz zdobyć złoty medal.
I zdobędę, wujaszku.
Powierzam panu płytkę, profesorze. Będzie na tyle blisko, że poczuję jej wpływ.
Następna konkurencja to 400 metrów stylem dowolnym...
Nie mogę przegrać. W Grecji zadziwiłem wszystkich swoim wynikiem.

Wujek Donald jest bardzo zdeterminowany.
Che, che!

„Start!”
CHLUP

Czuję energię wielkiego Donaldosa.

Jak tam? Jak sobie radzi?
Ekhem... Po pierwszym basenie jest przedostatni.

Szybciej młóci ramionami. Odrabia dystans...
Jupiii!

Jejku! Złapał go skurcz... Zatrzymał się!
Nieee!

Później w hotelu...
Grrr! Zawodnik wszech czasów? Niech cię gęś kopnie! Raczej fajtłapa wszech czasów!
Kwa!

N-nie rozumiem. Przecież jestem spadkobiercą wielkiego Donaldosa.
Prawda, ale jest inaczej, niż sądziliśmy.
Hę?

Właśnie rozmawiałem z moimi asystentami z Grecji. W podwodnej jaskini znaleźli czwartą płytkę ceramiczną.

Zgodnie z kolejnością odczytywania płytek umieściliśmy ją między pierwszą, a tą, którą uważałem za drugą.

To całkowicie zmieniło treść inskrypcji.
Jak zmieniło?

„Otóż, wszechstronnym sportowcem był kto inny. Donaldos był tak słaby, że nie wygrał żadnej konkurencji i zrobił z siebie pośmiewisko".

Ale przecież... na płytce było wyraźnie napisane, że „nikt nigdy nie dorównał jego atletycznym wyczynom".
Ekhem... to chyba była ironia.

Chlip! Jestem potomkiem najgorszego sportowca wszech czasów.
Grrr! I wspaniale obroniłeś ten tytuł.

Chwila! A jak pan wyjaśni mój wspaniały wynik w Grecji?
Hmm... Właśnie!

Hmm... Hmm... Musi być jakieś wytłumaczenie.

Zadzwonię w kilka miejsc i może się dowiem.

Później...
Znalazłem wyjaśnienie, przyjaciele.

Rozmawiałem z kapitanatem portu w Grecji i ustaliłem, że...

„...w czasie gdy Donald płynął, powstała nienaturalnie wielka fala, która bez jego wiedzy, przeniosła go..."
PŁUUUSK
Bul!
„...w kilka minut do brzegu wyspy".
Dlatego uwierzyliśmy, że jest mistrzem.
Rety!

Buuu! Moje marzenia o sławie rozwiały się jak dym.
Ale twój koszmar właśnie się zmaterializował.

Przez ciebie będę musiał zapłacić fantastyliard dolarów zarządowi KOKO!

Marnotrawco cudzych majątków! Zejdź i przyjmij karę.

Karę? Hmm...

I tak...
Będę nadzorował twoje postępy, aż nabierzesz formy do maratonu.
Cha, cha, cha! Taki trener to gwarancja, że wujek Donald zdobędzie złoty medal.
KONIEC

Walt Disney
KACZOR DONALD
On ma siłę

Burczy
mi w brzuchu.
Mnie też.
Nic dziwnego.
Najwyższy czas
coś zjeść.
I/T 1960 F

Co powiecie
na ciastka
z dżemem?

Wujek wstawił je
na górę, bo liczył,
że ocaleją.

Ale my
jesteśmy od niego
sprytniejsi i...

BAM
BONG
KLANG
BACH
BAM
BONG
Ojoj! Ale się
porobiło.

BONG
Złapię ją!

Popatrzmy...

Co to takiego? Ajajaj!
Fasola. Kto by pomyślał?

Fasola? Tylko?

Tylko, tylko! A co macie do fasoli?
Kwa! Wujek?
My?
Nic, nic!

Pomóżcie mi.
Trzeba to wszystko
posprzątać.

Kwa!
ZIUUUT

BONG

Wiedziałem!
Wiedziałem! Mali
zamachowcy, ot
co! Precz!

Nie ma chwili
spokoju
z tymi trzema
drapichrustami.

Wkrótce...
No, nareszcie. Dzisiaj
krem z fasoli. Mniam!

Mmm... Mniam!
Mlask!
Co to?

Nie do wiary.
To wujek. Opycha
się jak szalony.
Mlask! Łyks!
Mniam! Ciamk!

Co wcinasz,
wujku?
Fasolę.

Ale jest druga...

I co z tego? Każda
pora jest dobra na
kurację.
Kurację?

Jesteś...
...chory...
...wujku?

Chory? Nie. Nie chodzi o zdrowie, tylko o moją formę fizyczną.
W jakim sensie?

Chcę nabrać muskulatury.
Dzięki fasoli?

Cha, cha, cha, cha!

Zalecił mi to Teo Triceps, mistrz kulturystyki. Poznałem go w siłowni.
Ciekawe, ile razy wyśmiewał cię za plecami.

Też coś! Nie wszyscy są tacy bezczelni jak wy.

Daj spokój, wujku. Nie gniewaj się. Nie chcieliśmy...
Właśnie że chcieliście.

Nikomu nie wolno się z Donalda śmiać.
PAC

TRACH
BONG
ŁUBUDU
?

Co się stało?

Kto to zrobił?
T-ty. Najwyraźniej fasola już zaczęła działać.

Tylko lekko ich popchnąłem. Che, che! No to może...

Tak, to działa! Zyskałem supersiłę. Podziwiajcie.

Nie róbcie takich min. Zawsze zostanę waszym kochanym wujkiem. Jestem tylko... trochę silniejszy.

Pfff... pfff...

Pffrrr...

Ho, ho, ho!
Cha, cha!
Ale ubaw!
BAM

Biedny wujek.
Święcie uwierzył, że jest mocarzem.
Magia fasoli. Cha, cha!

Szybko, za nim!
Dawaj!

Będzie niezła zabawa!

Ssstop! Jest.

Che, che! Nie lękaj się, Kaczogrodzie. Wśród twoich mieszkańców jest Żelazny Donald.
LODY

Kwa!

Wózek bez kierowcy!
Na pomoc! Ratujcie moje maleństwo!
Iiiiii!
TUK
TUK
TUK

Już lecę!

O rany! Pędzi jak rakieta.
Iiiiii!

Mam go! Mam go! Mam...

Ech! Wymsknął mi się.

Z drogi!
WRUM
Kwa! Już po mnie.

Zaraz! Prawie zapomniałem. Zatrzymam cię.
XYZ-444

TRACH

O nie! Moje maleństwo! O, ja nieszczęsna!

Oto pani maluch. Cały i zdrowy... dzięki naszemu wujkowi.
Filipku! Skarbeńku mamusi!
CIAMK
Skoro o wujku mowa... gdzie się podział?
Patrzcie! Tam jest.
Gdybym był mistrzem ciętej riposty, może bym wam coś odpowiedział...
Ale jedno wiem... Chcę zejść.
Jak tam, wujku?
Tym bardziej, że mam wam coś do powiedzenia.

Następnym razem... nie wtrącajcie się, jasne?
Ale, wujku... Wszystko zrobiłeś sam.

No, kierowca ciężarówki też trochę pomógł...

Ale jestem wielkim siłaczem i nie tak łatwo mnie pokonać.
Uwaga! Coś spada z dźwigu!

ZIUUU
Kwa!

Spokojnie. Zajmę się tym.

Mamusiu! Nie mogę na to patrzeć.
GRUCH

Gdzie on się podział?

Tutaj jest!
Uuuch!

Zrobiłeś sobie krzywdę, wujku?
Krzywdę? Krzywdę?

Nie. Jestem na to za silny.

PRACA WRE!
Uuuch...

Chcesz wiedzieć, czemu mnie to wszystko spotyka?
No, czemu?

Bo zjadłem za mało fasoli, ot co!

Idę do domu się najeść. Na razie.
?
UWAGA! PRACA WRE!

Jedena... dwana...
trzyna... no, wiele
puszek później...
Mlask! Łyks!

Bek...

No i?
Hep!

Zjadłeś
wszystkie?
Tak. Bek!

Marnie się czuję,
ale warto było.

Nabrałem masy mięśniowej.
Naprawdę? Niesamowite.

Czuję, że ciągle mi nie wierzycie. No dobra.

Udowodnię wam to.

Banzai!
ŁUP

Oj! Chyba coś sobie złamałem...

Uaaa...

Au! Au! Moja ręka! Au! Au!
...nie, ani jednej. Ani jednej szczelinki, nawet malutkiej.

Ojojoj! Przynieście klej.
Nie trzeba. Ściana jest nietknięta.
Uuuch... Ale to dla mnie.

Ale... chwileczkę! No jasne.

Wszystko rozumiem.

Muszę jeść fasolę podczas wysiłku.

Chodźcie. Przeprowadzimy próbę.
Próbę?

Tak, muszę tylko znaleźć właściwą osobę.

Hmm... Za niski.

Za chudy.

O, ten będzie w sam raz.

CUKIERNIA
Ojć!
Cokolwiek wymyśliłeś – nie rób tego.
LOVE ♡ PIZZA

Dyziu, do dzieła. Musisz na niego wpaść.
Odbiło ci?

No, dalej. Potem zobaczysz.
Ojć!
BAM

Chi, chi! Przepraszam, nie chciałem.
Nic nie szkodzi, mały.

Chwileczkę! Natychmiast przeproś mojego siostrzeńca.
Hę?
LOVE ♡ PIZZA

A za co miałbym go przeprosić?
Rozumiem. Jesteś taki odważny wobec słabszych, tak?

No to będziesz miał z Donaldem do czynienia. Hyyp!

Grrr!

Pssst!
Uff! Dzięki.

Hyyp!

Łyks!

Mlask! Mlask! Poszedł? Mlask!
Nie chciało już mu się czekać.

Co za bubek.
I co teraz, wujku?

Nie wiem, co teraz. Muszę zrozumieć, co jest nie tak...

Dobra! Już wiem!

Fasola pomaga, ale brakuje mi ćwiczeń fizycznych. Na razie!

Ciekawe, co
wujkowi chodzi po
głowie.

Szedł prosto do
siłowni.

Kilka godzin później...
Hej, chłopcy!
Co słychać?
Aaa! Terminator!

Wystarczyło
skoczyć do siłowni.
Nieźle, co?

Niemożliwe!
Ale... tak, to on.

Biegiem! W każdej chwili może uciec!
No chodź tutaj!
Ale... czego chcecie? Zostawcie mnie!
A zatem...
Nie do wiary! Myśleliśmy, że wyginął już wieki temu.
Wypuśćcie mnie stąd, to wam pokażę, kto wyginął.
Widzicie? Wasz wujek to ostatni żyjący okaz kaczora wielkorękiego.
KACZOR WIELKORĘKI
OSTATNI OKAZ
RYBY
Kto by przypuszczał...
KONIEC

Walt Disney
KACZOR DONALD
Olimpijski spokój
Co to znaczy? Daisy i siostrzeńcy w starożytnej Grecji? Żeby cofnąć się w przeszłość, musieliby mieć jeden z wehikułów czasu Diodaka. Ale może wyjaśnienie jest inne?
D 2004-038

Może jakąś podpowiedzią będą te „marmurowe" kolumny, tak naprawdę wykonane z drewna i plastiku?
Ostrożnie, chłopaki! Budowa tej świątyni zajęła nam parę miesięcy.
Zadzwonię do Edka i spytam, czy dźwig już jedzie.
PIK PIK
Tak, tak, to współczesny Kaczogród...
Przepraszam! Mógłby pan pojechać inną drogą?
Ale to nie jest plan filmowy.
Aha, szykujecie się na festyn.
Zgadza się.
Fajnie sobie na nich popatrzeć.
Burmistrz od lat nie zorganizował tak odjazdowej imprezy.

Mam hopla na punkcie starożytnej Grecji.
Wiemy, panie burmistrzu.

I kocham sport.
Wiem.
A zatem to doskonała okazja, żeby urządzić...

...festyn olimpijski.

Dzień dobry. Możecie pierwsi zgłosić swój udział w naszych zawodach.
BIEG MARATOŃSKI – ZAPISY

Cześć, chłopcy.
Czołem!
Witaj, Ateno.
Może się pani zapisać, ale te kaczorki są niestety za małe.
To nie my chcemy wystartować w biegu.
Wkrótce...
Ej! Widzicie, jacy się ludzie nagle zrobili mili i uprzejmi?
Tak. Wszystkich ogarnął olimpijski duch. Pokój, wzajemny szacunek, te rzeczy.
Ech! Niestety, nie wszystkich.
O rany...
Jau!

Ugryzłeś mnie w rękę, ty krzywodziobie!
To dlatego, że mnie kopnąłeś!

Już ja cię nauczę...
Dosyć!

Tysiące razy wam mówiłam, żebyście się nie bili przed moim domem!
Wcale się nie biliśmy!
Omawialiśmy tylko kwestię, kto ma cię zaprosić na imprezę olimpijską w piątek.
Nie pójdę z żadnym z was.
Chyba że obaj wystartujecie w maratonie.
Kwa!
Co takiego?

Już was wpisaliśmy na listę zawodników.
W maratonie? To już przesada. Jestem przeciwnikiem nadmiernego wysiłku fizycznego.
Chwila, moment...
Nagroda za zwycięstwo to wyjazd na igrzyska w Atenach, tak?
Zawsze chciałem zobaczyć olimpiadę.
Ha! W życiu nie wygrasz. Nie ze mną.
Myślisz, że do zwycięstwa w maratonie wystarczy łut szczęścia? Phi!
Może nauczycie się przy tym pokojowo rozwiązywać spory.
Z przyjemnością skopię ci kuper. Pokojowo, ma się rozumieć.
To się jeszcze okaże, kuzynku.

Później w drodze do kaczogrodzkiej „Olimpii”...
Nie ma co liczyć, że po biegu będą dla siebie lepsi, prawda?
Nie. Zwłaszcza że ostatnio kłócą się częściej niż zwykle.
Ale spodziewamy się, że Goguś jak zwykle wygra...
...i zgarnie wycieczkę do Aten.
Przynajmniej kiedy zaczną się igrzyska, nie będziemy musieli wysłuchiwać ich ciągłych kłótni.
Burmistrz
jalnie otwiera
festyn...
Nasza „Olimpia” nie jest wierną repliką starożytnej Grecji.
Ale apeluję o olimpijski spokój. To na pewno będzie niezapomniany festyn.

Starożytni Grecy co roku urządzali w Olimpii pokojowe zawody sportowe.

Mieli tam również targ. I u nas nie może go zabraknąć.

Mamy też amfiteatr. Podczas festynu będzie w nim można oglądać wspaniałe przedstawienia.

Oczywiście mieli też stadion, gdzie odbywały się zawody.

Nasz jest mniejszy, ale też nadaje się na arenę igrzysk.

Na otwarcie festynu odbędzie się bieg maratoński.
Zaczynam żałować. To strasznie długi wyścig.
„Pewnie słyszeliście o greckim żołnierzu, który w roku 490 przed naszą erą biegł z wiadomością o zwycięstwie Greków nad Persami pod Maratonem. Właśnie stąd wzięła się nazwa biegu".
Żołnierz dostarczył wiadomość do Aten i zmarł.
Kwa!
Widzieliście też pewnie w telewizji wyczerpanych współczesnych maratończyków.

Ale nasz maraton będzie świetną zabawą dla wszystkich.
Każdy dostanie szansę wykorzystania swoich zdolności, sprytu, kreatywności i wyobraźni...
A szczęścia to nie? Donald, jak myślisz? Może pora się wycofać?
Nigdy!
Moja najdroższa córka Atena będzie maskotką wyścigu. Mam nadzieję, że także natchnieniem dla zawodników.
KLASK
KLASK
Ukoronuje zwycięzcę tym wieńcem oliwnym. W Olimpii używano ich zamiast laurowych.
Cześć, chłopcy!
Zwycięzca otrzyma też bilet na igrzyska w Atenach.
Przyjaźnicie się z córką burmistrza?
Nie, ciociu.
Po prostu znamy się ze szkoły.

Nadszedł czas na rozpoczęcie maratonu...
Trasa wyścigu prowadzi przez wiele znanych miejsc wokół Kaczogrodu. Pierwszy etap kończy się przy Głazie Kwaczaka.
Na kolejnych etapach będziecie mogli korzystać z różnych środków transportu i pomagać sobie na wiele sposobów.
Ojć! Konkurenci wyglądają na wysportowanych.

I to mają być amatorzy? Jakoś nie widać.
Mnie to nie martwi. Wierzę w swoje szczęście.

Start!
Może innych nie wyprzedzę, ale mogę się postarać, żeby Goguś nie wygrał.

Już padam z płetw i nie nadążam. Ale przynajmniej jestem przed Gogusiem.
Uff! Puff!

Kilkaset metrów dalej...
No pięknie! Nareszcie jakaś podwózka.
Uff! Taksówka by się przydała.

Bierzcie rydwany, jak w starożytnej Grecji.
Na co dzień jestem piratem drogowym. Ale wiecie, „olimpijski duch" i te sprawy. Zaczekam na was.

Ten mi wygląda na szybkiego rumaka.
W takim razie nie mam wyboru...

Kwa! Klacz Gogusia szaleje na punkcie ogiera tamtego faceta.
Aaaa!

Z kolei koń Donalda...
Hej!
ZIUUT
...szaleje na punkcie jabłek!
Nie w tę stronę, głupia chabeto!
Prrr, szalony! Ratunku! Gdzie tu są hamulce?
OWOCE
Moje jabłka!
To pańska wina! Ale nie złożę skargi do komitetu olimpijskiego, jeśli pożyczy mi pan ciężarówkę.
Wkrótce...
Schowaj się i wcinaj jabłka, szkapo. Nie chcę mieć przez ciebie więcej kłopotów.
Chrup! Chrup!
OWOCE
2791

Ten bezczelny farciarz nadąża za resztą. Nie musi się nawet starać.
Ale ja mu pokażę.
2791

A zatem...
Co tak długo, chłopaki?
GŁAZ KWACZAKA
Kwa! Donald?
Nie wiem jak, ale na pewno oszukiwałeś.
Daj spokój. Pojechałem na skróty. Regulamin tego nie zabrania.
2791
Pora na następny etap. Meta przy starym wiatraku.

Widzę wujka i Gogusia. Jakimś cudem nie odstają od reszty stawki.
Wyścig potrwa jeszcze długo, więc rozejrzę się po targu.

Tymczasem...
Drugi środek transportu. Tym razem macie wybór.
Cha, cha! Hulajnogi, wrotki i deskorolki.
Niezbyt to starożytne, ale za to zabawa niezła.

Ha! Jako pisklę byłem mistrzem hulajnogi. A Goguś to łamaga.

Została tylko para wrotek. Ale może przyniosą mi szczęście.

A może nie...
No dobra. Jazda naprzód!
Hej! Powiedziałem „naprzód".
Aaaaaa!
Uch!
KLANG
Chyba zapomniałem zamknąć drzwi...
Ojć! A teraz coś się tam przewróciło.
Sprawdzimy to na następnym postoju.
TRACH
„PAPU" CATERING
9347

Może kiedyś Donald był mistrzem hulajnogi, ale dziś marnie u niego z formą...
Uff! Przynajmniej Goguś jest daleko z tyłu.
Na pewno?
Wkrótce przy
arym wiatraku...
Ty kanciarzu! Załatwię ci dyskwalifikację.
Zaraz! To przypadek.
Może coś na ząb? Uprzedzam, że mamy tam z tyłu niezły bigos.
9347

Ej, kaczorku! Gdzie ciężarówka, którą ci pożyczyłem?
?

Z-została p-przy Głazie Kwaczaka. Oto kluczyki.
I kto tu jest kanciarzem?

Wujek i Goguś znowu się tłuką.
Może nie zauważyli, że pozostali zawodnicy mocno ich wyprzedzają.

Przepraszam, panowie! Nie powinniście biec, zamiast się bić?
Kwa! Gdzie się podziała reszta?

Chwileczkę, panowie...
Ciągle próbujesz mi przeszkodzić. Mam tego po dziurki w dziobie!
Nie moja wina, że ci się nie udaje.
P-patrzyłeś, którędy powinniśmy biec?
Nie. Ale mam nadzieję, że w dół.
Uch!
Och!
RYMS

Nie widzę pozostałych.
Nieważne. Znaleźliśmy skrót. To miniatury greckich okrętów, prawda?
13
No, skoro nie możemy wrócić tą samą drogą...
Na pewno mamy przepłynąć rzekę.
Ojć! Zdaje się, że zaczyna się bitwa morska.
A te łodzie nie miały posłużyć do wyścigu...
...tylko do romantycznych rejsów w blasku księżyca.
Ale teraz na wodach Gęsiawy zdecydowanie brakuje romantyzmu...
Hej! Specjalnie się ze mną zderzyłeś!
Ha! Próbowałeś mnie zatopić!

Szykują się do zakończenia wyścigu.
Miejmy nadzieję, że zawodnicy dotrą tu przed burzą.
META
Na pewno przyspieszą, kiedy zobaczą te czarne chmury.
Lepiej pójdę po wieniec oliwny.
Jest w „świątyni”...
Wiatr się wzmaga. Lepiej zwinąć stoiska.
Szybko! Schowajmy się przed deszczem.

Mam nadzieję, że chłopcy znaleźli jakiś dach.
GRRRUCH
Panie burmistrzu, tutaj nie zmokniemy.

Tymczasem już tylko parę kilometrów dzieli prowadzących zawodników od mety...
Zatrzymajmy się w supermarkecie, dopóki burza nie przejdzie.
70
25

W świątyni Atena jest sama...
Ojej! Muszę tu zostać, aż przestanie padać.

Donald i Goguś przepłynęli już rzekę...
Gdzie się podziało twoje szczęście? Przemokniemy do suchego piórka.
Oj, stul dziób!

Ha! No i masz moje szczęście.

Podziel się z kuzynem!
Nigdy! Puszczaj!

To twoja wina. Zawsze przynosisz mi pecha.
Kwa!
WIUUUUCH
TRZASK
Uch!
Jau!
Jak mamy stąd zejść?
Może ktoś nas zobaczy.

Gogusiu, patrz! Świątynia zaczyna się chwiać.
Z-ześlizguje się po błotnistym zboczu.
A w środku jest Atena.

Ratunku!
Musimy ją wyciągnąć, zanim świątynia wpadnie do rzeki!
Nasza piękna świątynia płynie z prądem!
Kwa! Po co dzieciaki biegną za budowlą?
Nie dadzą rady jej zatrzymać.

Hyziu! Dyziu! Zyziu!
Na pomoc!
TRACH
O nie!
Spóźniliśmy się.
CHLUP
Och! Atena wpadła
do wody!
Goguś! Rzeka niesie jakąś
dziewczynkę!

Dzięki, że mnie zrzuciłeś. Gdybym miał czas, dałbym ci bobu.

Zostaw to na później, matołku!

Burza się skończyła, ale spadło tyle deszczu, że rzeka wezbrała.
Nurt jest szybszy! W dodatku musimy omijać szczątki świątyni.
Lekko w prawo! Teraz ostro w lewo!
Potem w prawo! I jeszcze w prawo!
Wujek Donald i Noguś próbują ratować Atenę.
W dodatku współdziałają.
To córeczka burmistrza! Trochę za zimno na pływanie.
Jesteś już bezpieczna.

Popatrz, popatrz! Nie wiedziałem, że mamy widownię.
BRAWO!
Nie wiem, jak wam dziękować.
Tato, muszę podziękować jeszcze komuś.
Próbowaliście mnie ratować. Prawdziwi z was bohaterowie!
CMOK
Zdumiewające! Widziałam, jak współpracujecie.
O czym ona mówi, kuzynku?
Właśnie, co w tym dziwnego?

Wkrótce...
Musieliśmy przerwać maraton z powodu burzy i wypadku ze świątynią.
Nie mamy więc zwycięzcy.
Ale postanowiłem, że w nagrodę na igrzyska w Atenach pojadą nasze dzielne kaczory, Donald i Goguś.
Kilka dni później...
Pamiętajcie, olimpijski spokój. Żadnych bójek przez cały miesiąc.
Jasna sprawa.
Czemu mielibyśmy się bić?
ODLOTY
Wielkie dzięki, że staraliście się uratować Atenę.
Dziś będziecie gośćmi honorowymi na przyjęciu olimpijskim.

O rany, zupełnie zapomniałem o przyjęciu.
Chciałem zaprosić na nie Daisy... gdyby nie ty.
BRAMKA 13
Co? To ja zabrałbym Daisy, ale ty wszystko zepsułeś.
Phi! Nigdy by z tobą nie poszła.
Panowie, proszę! Samolot do Aten odlatuje za minutę.
Ech!
Biedna Grecja. I biedni sportowcy. Ciągle się zastanawiam, czy w ogóle zaznają „olimpijskiego spokoju".

Ale przynajmniej ja będę mieć spokój. I to przez cały miesiąc.

O nie! Chyba liczyłam na zbyt wiele.

7744
Mówię, że to ja zabiorę Atenę na przyjęcie!
Nic z tego! Mnie lubi bardziej!
Ha! Tak ci się tylko wydaje.

KONIEC

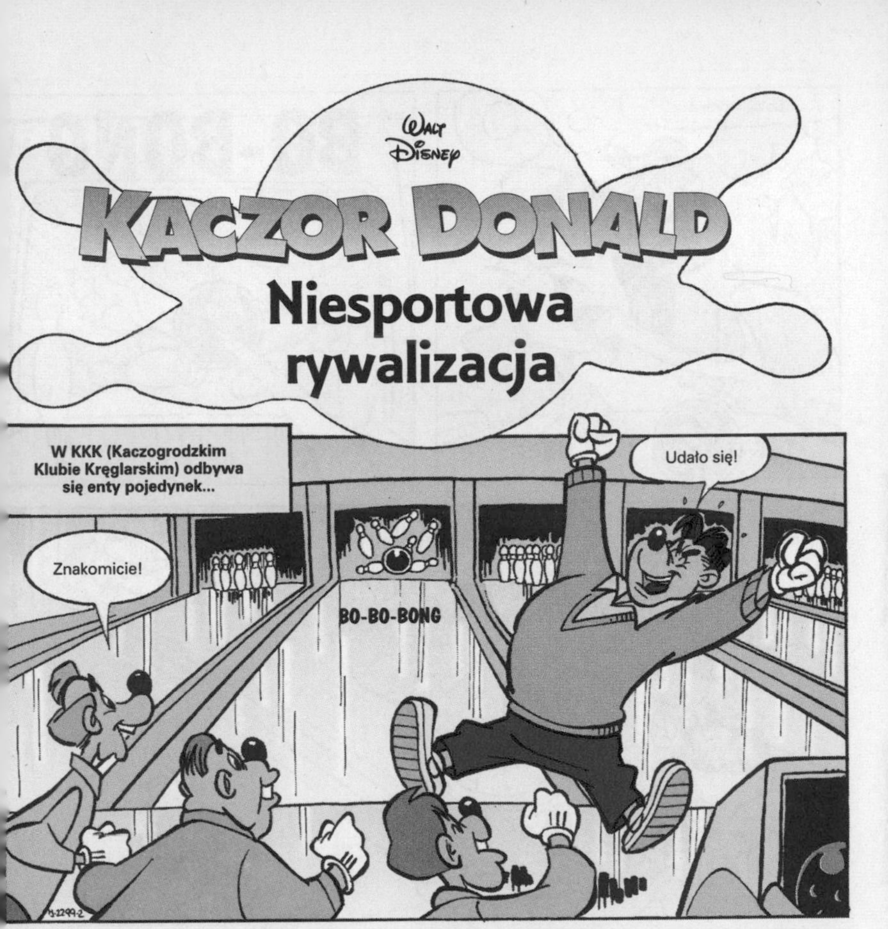
Walt Disney
KACZOR DONALD
Niesportowa rywalizacja
W KKK (Kaczogrodzkim Klubie Kręglarskim) odbywa się enty pojedynek...
Znakomicie!
BO-BO-BONG
Udało się!

I co ty na to, kaczorku? Trzęsiesz kuprem?
Nie mów „hop". Jeszcze jedna kolejka.

Dalej, Donaldzie!
TUK

BO-BONG

Wrrr! Jak zwykle mam pecha!
Hura! Mam zwycięstwo w kieszeni.

Poddaj się! Nie masz szans.
Tak? No to patrzcie.

„Zakręcony rogal" powinien zadziałać.

TUKTUKTUKTUK

PAC
PAC

Wygrałem! Juhuuu!
Donald mistrz!
Donald górą, Jones kanałami!

Głowa do góry. Może kiedyś mnie pokonasz.
Grrr!

W tym roku wynik Pucharu Kwaczaka znowu jest przesądzony.
Tak. Nikt nie pokona Donalda.

Jestem w wyśmienitej formie. Zdobędę puchar z palcem w dziobie.
KACZOGRODZKI KLUB KRĘGLARSKI
PUCHAR KWACZAKA – ZAPISY
ZNIŻKI DLA EMERYTÓW

Wiedziałem, że cię tu znajdę.
Cześć, wujku! Szukałeś mnie?

Podobno nieźle radzisz sobie w kręgle.
Nieźle? Nie ma ode mnie lepszego.

Mam dla ciebie robotę...
Ani mi się śni!

Nie mam czasu na polerowanie monet. Muszę ćwiczyć przed turniejem.
Daj mi skończyć.

Przyda mi się
mistrz kręgli. Naucz
mnie w to grać.
Kwa?

Za godzinę czekam
w skarbcu.
A to ci dopiero.

Sześćdziesiąt
minut później...
Ty i kręgle! Wprost
nie do wiary.
Nie chodzi o proletariacką
rozrywkę, tylko o czysty
kapitalizm!

Znasz tego
faceta?
Jasne. To Petr
O'Roppa, magnat
naftowy.

Umówiliśmy się na jutro.
Muszę go przekonać, żeby
sprzedał mi swoje rafinerie.

To maniak kręgli. Nie mówi o niczym innym.
Rozumiem. Chcesz go sobie zjednać.

Ale nie nauczysz się grać w jeden dzień.
Wystarczy, że nauczę się przegrywać.

Jak chcesz. Chodźmy do klubu... Ghhh!
Stój, darmozjadzie! Klub kosztuje.

Potrenujemy tutaj. Zorganizowałem niedrogi sprzęt.

Gdzie znalazłeś ten chłam?
Na pchlim targu. Zapłaciłem 67 centów.

Dobra, zaczynamy. Pokaż, co umiesz.
Nic prostszego.

Patrz i podziwiaj.
TÜK TUK

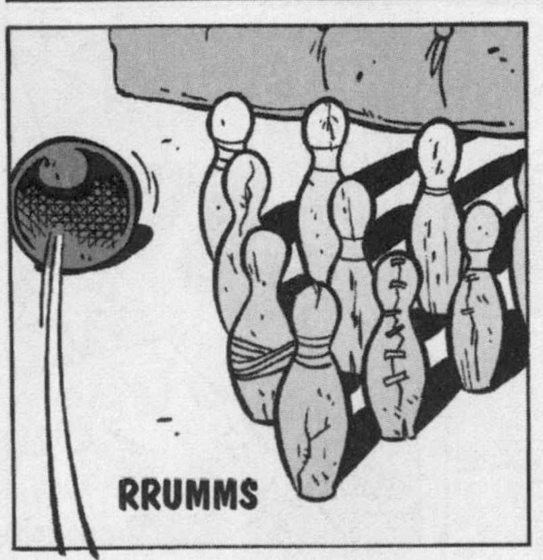
RRUMMS

Kwa! To trudniejsze, niż myślałem.
Che, che! Uprzedzałem.

Harpagon, kula! Pospiesz się!
Uff! Puff! Lecę! Pędzę!

Źle się ustawiłeś. Najważniejsza jest pozycja przy rzucie.
Przestań gadać i zademonstruj.

Dziób do góry, pierś do przodu, skrzydełka do tyłu.
Na razie nieźle mi idzie.

Później robisz zamach i... Ojć!
ZIUUUT

ŁUP
Auć!

I tak...
Nie ma złamania. Tylko wielki siniak.
Ty podstępny zamachowcu!
Wszystko przez kulę. Była do niczego.

Dwa dni odpoczynku i będzie pan zdrów jak ryba.
Cooo?!

Nie mam czasu na odpoczynek. Muszę nauczyć się grać w kręgle.

AAAAAACH!

Ojej! Nie mogę chodzić. Za bardzo boli.

No dobra, nic tu po mnie...
Stój! Nie ruszaj się!
STUK

Ty jesteś sprawcą nieszczęścia i ty je naprawisz.
Kwa! Niby jak?

A zatem...
„Zajmiesz moje miejsce"! Wujaszek jak zwykle tryska pomysłami.
Odwagi! Wszystko dobrze pójdzie.
KACZOGRODZKI PORT LOTNICZY

Jak wyglądam?
Doskonale. Sam bym się nabrał.
DRRRYŃ

Tak, wujku. Jesteśmy gotowi.
Świetnie.

Wszystko jasne? Zabierzesz go na kręgle, a potem do skarbca...

...podłożę mu się, a potem zmiana ról. W porządku.
Tylko nie nawal. Powodzenia!

Niedługo...
Witam, panie O'Roppa. Jak podróż?
Nareszcie pana widzę, panie McKwacz.

Nie mogę się doczekać rozmów o interesach.
Nie ma pośpiechu. Mamy czas.
PRZYLOTY

Pokażę panu Kaczogród.
Gościnny z pana gospodarz.

O! Kula do kręgli!

Czyżby pan też...
To moja ulubiona gra.

Przyjaciel
z kręgielni!
Pójdź w me
ramiona!
Uch!

Musimy to uczcić.
Gdzie jest najlepsza
restauracja
w mieście?
KWA 1

Później...
Ale się najadłem.
Dzięki za pyszny
obiad.
To ja dziękuję
za zajmującą
rozmowę.
LE SPLENDORE

Opowiedz mi
o tym strike'u*
w ostatniej kolejce.
Che, che!
Z przyjem-
nością.
* Zbicie wszystkich kręgli w jednym rzucie

Jones prowadził i...
Cześć,
wujku!

Kwa! Daisy?
Jesteś wujkiem tej cudownej istoty?
Jaki pan uprzejmy!

Nazywam się Petr O'Roppa.
Czytałam o panu w „Heloł".
CMOK

Ech! Nie masz czegoś do roboty w domu?
Wybacz, wujku. Nie chciałam przeszkadzać.

Mam nadzieję, że wkrótce się spotkamy.
Miłego dnia!

Idziemy. Kręgle czekają.
Rozumiem. Nie możesz się doczekać gry.

Ale...
A niech mnie! Ogłoszenie o turnieju.
Odbędzie się już jutro. To najważniejsze zawody roku.
PUCHAR KWACZAKA – ZAPISY
ZNIŻKI DLA EMERYTÓW

Wspaniale! Chodźmy się zapisać.
Poczekaj! Ja nie...

Proszę zapisać O'Roppę i McKwacza.
Kwa! Katastrofa!

W takim razie lepiej oszczędzać siły na turniej.
Zgoda. Harpagon odwiezie cię do hotelu.

Sprawa się komplikuje. Muszę zawiadomić wujaszka.

Wkrótce...
Nie masz wyboru. Wystąpisz w turnieju jako ja.
Ale wtedy ja nie będę mógł wystartować.

To twoje ostatnie słowo?
D-d-dobrze! Poddaję się.

I pamiętaj, że z O'Roppą masz przegrać. Chodzi o ważny interes.

Jutro będę już chodził. Przyjdę obejrzeć zawody.
Baw się dobrze! Ech!

Nie mogę się wycofać. Trzeba znaleźć jakiś sposób.
ANI KROKU DALEJ!

Następnego dnia...
W tym stroju nikt mnie nie rozpozna.
Szybciej, słonko! Zaczynają się półfinały.
KACZOGRODZKI KLUB KRĘGLARSKI

Kwa! Niemożliwe!
BO-BONG
Wszystkie kręgle trafione!
Grrr! Znów mnie pokonał.

Pierwszy finalista... Kaczor Donald!
Brawo!
Mistrz!

Plan działa bez zarzutu.
SZATNIA

MAGAZYN
O rany! Wujek Sknerus?
Drżyj, łobuzie!
PIIISK

Nie posłuchałeś mnie i...
P-p-poczekaj! Daj mi coś powiedzieć.

To nie tak, jak myślisz. Za ciebie też gram.
Jak to?

Nie mogłem zrezygnować ze startu. Występuję za nas obu.

Jako Sknerus doszedłem do półfinału. Teraz zmierzę się z Petrem.
Wiesz, jakie to ryzyko?

Nie pękaj. Nikt nie wykryje podstępu.
Hę?

Jako ty dam wygrać O'Roppie.
Później, już jako Donald, spotkasz się z nim w finale. Rozumiem.

Ale jak coś pójdzie nie tak...
Spoko! Uda się.

Che, che! Czeka cię niespodzianka.

...ak...
Drugi półfinał: Sknerus McKwacz kontra Petr O'Roppa.
Niech wygra lepszy!
Zobaczymy.

TUKTUKTUK

Wszystkie trafione!
BO-BONG

Ładny rzut, stary.
Tak, niezły.

Udam, że się potykam i...
Daisy! Co za niespodzianka!
Witaj, Petr!

Przyszłaś zobaczyć, jak wygrywam?
Jestem tu dla Donalda. To nasz mistrz.

Zdmuchnę go i tobie zadedykuję puchar.
Wrrr!

Już ja mu pokażę!
TUKTUKTUK

Och!
Brawo, wujku!
HURA!

I po zawodach...
Zwycięża Sknerus McKwacz!
Ojej! I co ja zrobię?
Nie znoszę smaku porażki!

Ty niedo-
rajdo, już
ja ci...

Stać!
To oszustwo!
Kwa!

Patrzcie!
Hej! Przecież to...
...Donald?!
RWUT
RWUT

Nie jesteś Sknerusem!
Co to znaczy?
Ekhem...
Tego, ja...

Jesteś zdyskwalifikowany.
Anuluję wszystkie wyniki.
Ech! Katastrofa.

Grrr! Teraz się
policzymy!
Na pomooooc!

Poluzuj trochę, wujku! Spokojnie!
Nie mów do mnie „wujku"! Moje imię to „Mściciel"!

Przestańcie! I wszystko mi wytłumaczcie.

Po szczegółowych wyjaśnieniach...
A więc to pańska wina! Chciał mnie pan oszukać.
A-ależ s-skąd. Chodziło o taki mały żarcik.

Przyznaję, że chciałem poderwać Daisy. Przyjmij moje przeprosiny.
Nie ma o czym mówić.

Znakomicie grasz w kręgle. Chciałbyś zostać moim osobistym trenerem?
Cooo?!

Dam ci 10 tysięcy dolarów tygodniowo. Plus kwaterę, wikt i opierunek w mojej willi na Szmaragdowym Wybrzeżu.
Kwa!
Zgoda! Huraaa!

A może teraz porozmawiamy o interesach?
Przykro mi. Pogadamy dopiero wtedy...

...kiedy nauczy się pan grać w kręgle.

A zatem...
Ugiąć kolana. Ale nie za bardzo. Dziób do góry. Do góry, mówię!
Uff! Uff! Jak ja nie cierpię tej gry!

KONIEC

Scenariusz: Fabio Michelini, rysunki: Alessandro Barbucci

Założymy się, że niedługo ten krzak się poruszy?

No i proszę.
Myślicie, że ujdzie mu to na sucho?
SIUP
SIUP

Nie. Nakryją go, jak zwykle.
I wyśmieją.

Liście do góry, krzaczku!
Zostałeś zdemaskowany.
Jesteś zupełnie zielony. Chi, chi!

Jesteś zupełnie zielony. Chi, chi!

Masz jeszcze czelność wychodzić z domu?
Nie wstyd ci?

Idź się schować!
Więcej się tu nie pokazuj!

Biedny pan Kurz. Minęły lata, odkąd przegrał zawody...
...a wciąż jest przedmiotem kpin.

A zwycięzca cieszy się chwałą tylko przez rok...
...chociaż tak naprawdę...

...jego triumf nigdy się nie kończy.
...bo zawsze jest to Goguś.
I nigdy się to nie zmieni.
E tam. Mylicie się.
Przeszłość to jedno, a przyszłość...
Co to za bzdury?
Nigdy nie zgłosiłeś się do zawodów.
Dlatego, że zawsze zgłaszał się mój fartowny kuzyn.
Właśnie. W tym roku też to zrobi.
Wcale nie. Nie może.
Właśnie wypłynął w półroczny rejs w tropiki. To tak wspaniała nagroda, że nie mógł zrezygnować.

Dlatego w tym roku się zapisałem. Wygram te zawody.

Nie mogę się doczekać, kiedy poznam nazwisko mojego nieszczęsnego rywala.

Tymczasem wiele mil morskich na południe i jeszcze więcej na zachód...
No i co pan powie o naszym statku?
Ekhem... Ładniutki.
MS FOKA

Ten rejs to najbardziej luksusowa nagroda, jaką kiedykolwiek przyznały gumy do żucia Mlascay.

Dobre są te gumy, prawda?
Nie. Zupełnie mi nie smakują.

Eee... Jak to? Więc po co je pan kupił?
Co? Nie kupiłbym ich nigdy w życiu.

Dostałem je w prezencie. Znalazłem kupon z nagrodą, a potem je wyrzuciłem.
Co? Ekhem...

Skasuj całą tę część nagrania.

Na pewno cieszy się pan z tego rejsu.
Tak. W miarę.

Chociaż wolałbym popłynąć w zupełnie innym terminie. Musiałem zrezygnować z ważnych zawodów.

Niestety, to właśnie o tej porze roku w ogóle nie ma chęt... eee... pływa się najprzyjemniej.
Może i tak...

Kilka dni później w Kaczogrodzie...
Wujek od wieków tak nie trenował.
Bardzo mu zależy na zwycięstwie.
Hyyp!

Chociaż jak dotąd nie pojawił się żaden konkurent.
Nic dziwnego. Wszyscy się mnie boją.

Nie sądzę. Raczej lęk przed latami upokorzeń w wypadku porażki...
...jest silniejszy od pragnienia sławy.

Tymczasem na tropikalnym morzu...
Co to za rejs? Niebo się chmurzy.
Dziwne. W tych stronach prawie nigdy się to nie zdarza.

Przepraszam, szefie. Mamy kłopoty w maszynowni.

Silniki stanęły. Ich naprawa zajmie sporo czasu.
To absurd. Ten statek się nie psuje.

Ekhem... To nie wszystko. Nadciąga olbrzymi tajfun.
Co takiego? W tej strefie nie ma tajfunów.

Może ten tajfun o tym nie wie? Tak czy owak, lepiej szybko uciekać śmigłowcem.
Grrr!

Bardzo mi przykro, ale pechowy zbieg okoliczności zmusza nas do zawieszenia rejsu.
Nie szkodzi.

Proszę przyjąć ten prezent w ramach przeprosin.
Przyjmuję, przyjmuję.
Tutaj, szybko!

Oczywiście... uff... rejs odbędzie się... puff... w najbliższym możliwym terminie, za kilka miesięcy.
Świetnie.
WUT WUT WUT

Dzięki temu mogę wziąć udział w zawodach.

Kilka dni później...
Termin zapisów upływa za kilka chwil, a ciągle nie zgłosił się żaden przeciwnik.

Jeszcze trochę i wygram automatycznie. Trzy... dwa... jeden...
Jeden!

Jak to „jeden"? Już to powiedziałem. Po „jeden" powinno być „zero". Zero sekund, zero rywali.

Właśnie pojawił się jeden rywal. Zapisał się w ostatniej chwili.
Naprawdę? Kto taki?

Wieczny zwycięzca, Goguś Kwabotyn.
Go... Go... Gogu... Go... gu...

Niech pan odejdzie. Chcę dać upust swojej rozpaczy.

Tymczasem na znanym nam już morzu tropikalnym...
Na szczęście tajfun szybko przeszedł, a statek nie ucierpiał.
Minie wiele lat, zanim w tej okolicy będzie kolejny...

NIEEEEEEE! GOGUUUŚ!
NIEEEEEEEEEE!
Rety! To już?

I oto nadeszła wiekopomna chwila...
Szanowni państwo, w tym roku znowu zapraszam na nasze tradycyjne zawody.
Brawo!
Hura!

Po raz kolejny tytuł chce obronić Goguś.
Ma się rozumieć.

Pretendentowi Donaldowi nie będzie łatwo mu w tym przeszkodzić.

Spokojnie, wujku.
Spróbuj się odprężyć.
A k-k-kto się denerwuje?

Aby zwiększyć równowagę rywalizacji, postanowiliśmy poddać uczestników zróżnicowanym próbom.

Tutaj umieszczono zadania dla niepokonanego Gogusia.
GOGUŚ

A tutaj – dla nieszczęs... ekhem... pecho... ekhem... dla Donalda.

Zacznie obrońca tytułu.
Dobra. Nie boję się zróżnicowanych prób. I tak pokonam kuzynka.
GOGUŚ

Zadanie pierwsze: bezbłędnie powtórzyć trudny łamaniec językowy.

Teraz wszyscy otrzymacie kopię tego zdania, by uświadomić sobie poziom trudności tej konkurencji.
GOGUŚ

No, łatwo nie będzie.

KIKKI-RUKI
CRIKI-CRIKKI
RICKRI-CHIKKRI
CHIKRI-KICCHRI

Gotowy?
Oczywiście. Wezmę tylko gumę do żucia, która pomoże mi wykonać to zadanie...

Ciamk – to są dobre gumy. Nie to co Mlascay.

MLASK
MLASK

Ojć! Chciałem rozruszać język, a guma przykleiła mi się do podniebienia. Nie mogę jej odlepić.

No, dalej. Została minuta. Proszę mówić.
Łatwo powiedzieć. Guma się nie odkleja.

Dobra. I tak spróbuję.
Ceun cion! Cin ce! Ciui! Ciueceiuon!

Co powiedział?
Nic nie zrozumiałem.
Nie do wiary! Nie udało mu się.

Brawo! Goguś celująco wykonał zadanie.
Cooo?!

Tutaj jest napisane coś zupełnie innego, niż powiedział.
Otóż to.

Właśnie dlatego należą mu się brawa. Niewielu zna prawidłową wymowę języka kikki-riki, w którym zapisano to zdanie.
Kwrrr!

Gratuluję. Nie wiedziałem, że taki z pana poliglota.
Che, che! Też nie wiedziałem.

Myślałem, że przez tę gumę mówię niewyraźnie... ale wyszło dobrze.
KLASK
KLASK
KLASK
KLASK

A teraz drugie zadanie. Zapamiętać i wyrecytować wiersz, złożony z dwóch tysięcy wersów.

Najpierw go przeczytam, a potem mistrz ma go zadeklamować.

To bez sensu.
Niemożliwe. Nigdy mu się nie uda.

Tymczasem na pobliskiej ulicy...
PARK KWACZAKA
Te nowe miniaturowe dyktafony to rewelacja.

Mogą nagrywać głos nawet z bardzo daleka.
Tytuł wiersza to „5 kwietnia".
Słyszysz? Zatrzymajmy się i nagrajmy to.

Podtytuł: „Wiosenne porządki".

Dzisiaj okna umyję i wytrzepię dywany...

Dwieście wersów później...
...niczym Herakles stajnie Augiasza... chrrr... zmyję talerze... chrrr...
CHRRR
CHRAP

...bez względu na burze zetrę wszystkie kurze...
CHRRR
CHRAP

Dwa tysiące wersów później...
Nareszcie koniec. Ziiip!
FAJT

Chrrr... Hę?
Zieeew! Te potworne nudy już się skończyły.

Jedziemy. Straciliśmy zbyt wiele czasu.

Proszę... Kolej na pana.
Zieeew!
CHRRR
CHRAP

O rany! Ale trzęsie. Straszne wyboje na tej drodze.
MINIATUROWY DYKTAFON
ZIUUU
BAM BAM

Jedzonko?

Nie! Błe!

Kwa!
ŁYKS

Chyba połknąłem jakąś wielką muchę albo coś w tym rodzaju.

Do licha! Utknęła mi w gardle.

Dzisiaj okna umyję i wytrzepię dywany...
Kwa! Kto mówi we mnie?

Nie do wiary! Daje radę. Nawet naśladuje mój głos.
...ładnie stół też nakryję i wypiorę firany...

Dwa tysiące nagranych wersów później...
Nareszcie koniec. Ziiip!
RYMS

CHRRR
CHRRR
CHRRR
CHRRR
CHRRR
CHRRR
CHRRR

Chrrr... Co?
Już koniec?
Tak. Zieeew!
Wreszcie.

Brawo! Tę próbę
też przeszedł pan
wyśmienicie.
Ach tak? Serio?

Zostało tylko
jedno zadanie.
Najtrudniejsze.
Oooch!
Podnieść tę kasę
pancerną, pełną
ołowiu.
Kwa!
Kwa!

Pomoże panu ta superodżywka o natychmiastowym działaniu.
Phi! Nie potrzebuję jej.
Moja jedyna odżywka to szczęście.
Co za odwaga!
Co za duma!
Co za bezczelność.
Jakim cudem ma udźwignąć taki ciężar?
Odpowiedź kryje się w najwyższych warstwach atmosfery, gdzie właśnie zachodzi rzadkie zjawisko elektrostatyczne, prowadzące do powstania...
BZZZ
TRZASK
BZYT
...jeszcze rzadszego pioruna kulistego (z jasnego nieba!), który leci niczym meteor ku powierzchni Ziemi...
Ratunku!
Co to?
Patrzcie!

...a potem podnosi sejf, którego dotyka Goguś.
ZIUUU
Nie do wiary! Udało mu się!
Pomogła mu ta ognista kula.
Zaraz potem piorun zatrzymuje się na wysokości kilku metrów...
BZZZ
BZZZ
...po czym powoli opada, delikatnie stawiając ciężar na ziemi, i rozpływa się w powietrzu.
BZZZ
Brawooo!
Biiis!
Prawdziwy mistrz!
Dziękuję. Dziękuję.
Grrrrrr! Wrrrrrr!
KLASK
KLASK
KLASK
KLASK
KLASK

Teraz pańska kolej.
Che, che! Ekhem... Serio?

Jak już mówiłem, zadania są zróżnicowane.

Pierwsza próba: trafić strzałą w dwumetrowy cel z odległości jednego metra.
Ekhem...

Sprzeciw! To śmieszne zadanie.
Oddalam sprzeciw. Tak postanowił los.

Proszę mieć pretensje do niego.
Grrr!

Śmiało!
C-c-co za e-emocje...

Nie mogę na to patrzeć.
PTIONG
BAM
Nie do wiary!

Chybił z jednego metra!
W dwu-metrowy cel.

Eee... Przejdźmy do drugiej próby.
D-d-dobrze.
Odwagi, wujku. Tym razem pójdzie ci lepiej.

Musi pan trafić piłeczką pingpongową do trzymetrowego kosza z półmetrowej odległości.
Sprzeciw!

Oddalam.
Grrr!

Dawaj, Donaldzie!
T-t-tak. D-dobrze wyceluję i...

ŚLIIIZG
Ojć!

RYMS
PONG

Pozostaje ostatnie zadanie. Najłatwiejsze. Jeśli się panu uda, zostanie pan nowym mistrzem.
Jak to?

Ja wykonałem trzy trudne zadania, a jemu wystarczy jedno łatwiutkie?
Pewnie. Pan ma dziki fart, a on nie.

Trzecia próba to zrobienie jednego kroku do przodu.
Ekhem... Tylko tyle?
Już wygrałeś!
Niesłychane! Wszystko ma swoje granice!
Co takiego?

Znowu protesty? Czyżby zwątpił pan w swoje szczęście?
Nie, ale...

Więc proszę milczeć. Dalej, panie Donaldzie.
N-nie wiem, czy czuję się na siłach...

Odwagi! To mały krok dla kaczora, ale wielki skok dla naszego miasta.

Po tylu latach wreszcie mamy szansę na sympatycznego mistrza.
KLEP

W oczekiwaniu, aż nasz bohater zdecyduje się zrobić ten arcyważny krok, my zrobimy kilka kroków wstecz, do chwili, gdy...

Moja jedyna odżywka to szczęście.

Pod drewnianą podłogą...
Ech! Nie mam już tyle siły co za młodu.

To drewno jest już dla mnie za twarde.
PUK
PUK

A co to za dziwna ciecz?

Mniam! Pycha!

Czuję się, jakbym odmłodniał.
BUM
BUM
BUM
BUM

Mam ochotę coś przegryźć.
TA
TA
TA
TA

A teraz wróćmy do kroku naszego bohatera...
No! Nareszcie podniósł płetwę.
Jak znowu ją postawi...
...zostanie nowym mistrzem.
Naprzód, Donaldzie!
Jeszcze trochę wysiłku i...
TA
TA
TA
TA
TA
TA
TA
Hej! Co...
Nie do wiary! Zapadł się.
Nie zdołał zrobić kroku.
TRACH

BACH
GRUCH

Rewelacja! Ten syrop to prawdziwa bomba.

Z wielką... ekhem... radością oznajmiam, że zwycięzcą w zawodach znowu został Goguś.
KLASK
KLASK
KLASK
KLASK
KLASK
KLASK
Ech! Pozostaje tylko iść się schować... Kto wie gdzie, i kto wie na jak długo.
Tym razem nie mogę nawet powiedzieć, że zrobiłem fałszywy krok. Co najwyżej pół kroku.
KONIEC
TA
TA
TA
TA

Walt Disney

Kaczor Donald

Kaczki w krainie kangurów

Scenariusz: Guido Martina, Rysunki: Giovan Battista Carpi

Panie McKwacz! Nie widział pan uciekiniera z więzienia?
Widziałem. Ukradł mi wszystko, łobuz jeden!

Proszę wsiadać. Złapiemy go.
Pobiegł tam. Chcę zobaczyć, jak trafia za kratki. Jak śmiał mnie okradać? Mnie!

Jak do tego doszło?
Kupowałem gazetę, a ten łajdak wyrwał mi z ręki dziesięć centów i rzucił się do ucieczki.

Czyli zabrał panu dziesięć centów?
Tak. Wszystko, co miałem przy sobie. Jestem zrujnowany.

Dojechali na obrzeża miasta...
Niech to licho! Nie może pan jechać szybciej?
Wciskam gaz do dechy.

Oddala się!
Zajmę się nim. Proszę jechać za mną.

Kwa! Piechotą porusza się szybciej niż autem?
Za parę chwil go dopadnę.

Właśnie tak...
Tygrys, nie uciekaj, to bez sensu. Jestem sierżant McJogger, były mistrz olimpijski w biegu na 10 000 metrów.
Che, che!

Ale wygląda na to, że bandyta jest szybszy od mistrza...
Ma u nogi 25-kilogramową kulę, a i tak biegnie szybciej ode mnie.

Biedny McJogger nie wie, co się dzieje...
Uff! Puff! To jakiś fenomen.

Ale oto następuje się zwrot akcji (skądś znamy jego dziób)...
Zatrzymać go! Uciekł z więzienia!
Z drogi!
Hej! Co jest grane?

Kwak!
Odsuń się!

Już ja cię nauczę dobrych manier.

Donald rzuca daleko i celnie...
Ryba nie wystarczy, żeby mnie zatrzymać...

Rybka dla ciebie!
Och!

A masz!
Uch!

Brawo, chłopcze.
To nic takiego, panie sierżancie.

Odzyskał pan moje dziesięć centów?
Proszę.

Źrenico oka mego! Cmok! Cmok!
Jeszcze raz dziękuję. Gdyby nie ty, ten groźny przestępca by mi uciekł.
Grrr!

A niech cię! Przez twoje ryby znowu stracę wolność.
Ojć! Ratunku!

Ja ci dam, płetwiaku!
Stój!
Ra... tun... ku...

Po krótkiej walce McJogger uwalnia Donalda i zabiera Tygrysa...
Jeszcze się spotkamy, kaczorku. Gorzko pożałujesz.
Spokojnie. Zanim znowu się spotkacie, musisz jeszcze odsiedzieć 99 lat w więzieniu.
Oj!
P

Sierżant na chwilę zapomina, że jest policjantem i wraca do czasów, gdy był wielkim sportowcem...
Powiedz, kolego. Jakim cudem biegasz tak szybko? Uciekłeś nawet mnie, mistrzowi olimpijskiemu.
To kwestia wprawy.

Całe życie uciekam przed różnymi modelami radiowozów.
Che, che! Gdybyś był wolny, nie odważyłbym się wystartować w tegorocznych igrzyskach.

A jestem naprawdę silny i nieźle wytrenowany. Przebiegam setkę w 11 sekund.

Phi! Mój czas to 9 sekund.

Widzę, że ziewa pan z nudów. Nie interesują pana rozmowy o wynikach i sekundach?
Ani trochę. Ja mierzę czas w dolarach. Dla mnie każdy ruch wskazówki to 34 786 932 dolary i 7 centów.

Skoro o pieniądzach mowa... Za pomoc w złapaniu Tygrysa przewidziano 100 dolarów nagrody.
Co?!
Co?!

Pieniądze czekają na komisariacie.
Są moje.
Są moje.

Moje!
Moje!

Moje!
Moje!

Moje!
Moje!

Ale...
Plakat mówi jasno. „Sto dolarów nagrody za udzielenie informacji, które doprowadzą do ujęcia przestępcy”.
LIST GOŃCZY
100 $ NAGRODY
Che, che! Tak się składa, że to ja podałem sierżantowi informację, w którą stronę uciekł złodziej.

Słusznie, panie McKwacz. Oto sto dolarów.
Niech żyje sprawiedliwość!
Grrr! Mogłem się spodziewać.

Kochane pieniążki! Cmok! Cmok!
Nie martw się, Donaldzie. Ciesz się sławą bohatera, który pomógł złapać wroga publicznego numer 1 i pół.

Ech! Może i mam zasługi, ale za sławę nie kupię chleba ani kotleta.
Nie filozofuj.

Czyżby Donaldowi naprawdę nie zależało na sławie?
Hura! Jupiii! Czytajcie!
Znowu ta historia o złodzieju i rybach? Przez 6 godzin opowiedziałeś ją już 55 razy.

A po co komuś lody? Phi! Po co sto dolarów? Phi, phi, phi! Liczy się sława. Moje nazwisko znalazło się w gazecie. Teraz wszyscy się dowiedzą, że kaczor złapał Tygrysa za pomocą ryby.

Ech!

Słuchaj uważnie. Ja mam połowę ropy na świecie, a ty prawie całą drugą połowę. Mam rację?
Che, che! Puff! Z tą różnicą, że twoja ropa za miesiąc nie będzie nic warta.

A to czemu?
Bo wszyscy będą chcieli kupować moją benzynę, nawet po podwyżce ceny.

A nikt nie zechce twojej, choćbyś dawał ją gratis. Puff! Będziesz mógł odplamiać nią koszule, ale nie sprzedasz więcej ani litra. Puff!

Zanim zbankrutujesz, radzę ci sprzedać złoża ropy mnie, bo będę je umiał lepiej wykorzystać dzięki swojemu pomysłowi.
A co to za pomysł?

Nie zdradzę go nawet za miliard dolarów. Puff!
Do licha! Wyjdź, bo nie ręczę za siebie.

Jak chcesz. Puff! Do zobaczenia. Puff!
Precz! Kwrrr!

Halo? Agencja detektywistyczna ABC? Chcę mieć wszystkie dostępne i niedostępne informacje o miliarderze Pufie McPuffie z Tekwasu. Co robi, co mówi i jakie ma pomysły. Niech obserwuje go dziesięciu detektywów.

Dwa dni później...
Mamy pełny raport o działaniach, zamiarach i pomysłach Pufa McPuffa.
Od A do Z.
No i?

Zatrudnił w swojej firmie pewnego Indianina.
Nazywa się Śmigły Wiatr i jest najszybszym człowiekiem na prerii.

Śmigły Wiatr przebiega sto metrów w 10 sekund i jest szybszy od byłego mistrza olimpijskiego McJoggera, który robi to w 11 sekund.
Streszczajcie się. Co to ma do ropy?

Za dziesięć dni Puf Puff wyśle Indianina na igrzyska, gdzie ten wystartuje w biegu na 10 000 metrów...
Śmigły Wiatr na pewno wygra.
No i co?

Nie rozumie pan? Trafi na pierwsze strony gazet na całym świecie.
A Puff wykorzysta darmową reklamę i wprowadzi na rynek nową benzynę.

Kazał wydrukować ten plakat w dziesięciu milionach egzemplarzy. Udało mi się zdobyć jeden.

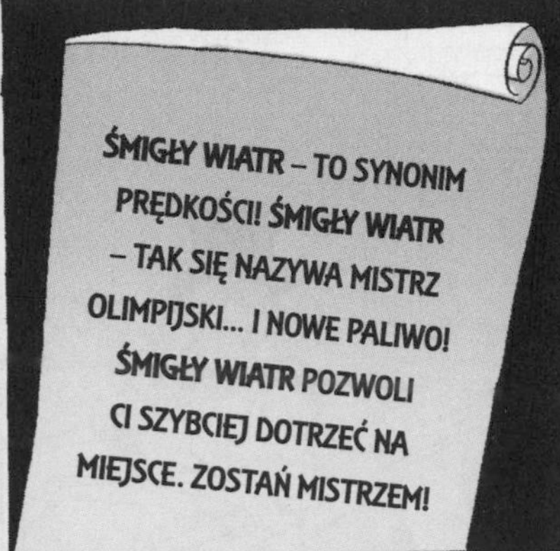
ŚMIGŁY WIATR – TO SYNONIM PRĘDKOŚCI! ŚMIGŁY WIATR – TAK SIĘ NAZYWA MISTRZ OLIMPIJSKI... I NOWE PALIWO! ŚMIGŁY WIATR POZWOLI CI SZYBCIEJ DOTRZEĆ NA MIEJSCE. ZOSTAŃ MISTRZEM!

To wszystko, panie McKwacz. Pomóc w czymś jeszcze?
Już mi wystarczy.

Do widzenia, panie McKwacz.
Do widzenia? To już koniec...

Puff! Ma rację. Za miesiąc wszyscy będą chcieli kupować jego benzynę, nawet płacąc więcej. A ja nie sprzedam już ani kropli. Ech!

Ale siłę charakteru poznaje się w trudnych chwilach...
Nie, nic z tego! To wcale nie koniec. Jeszcze zobaczymy.
12

DZIAŁ MIEDZIAKÓW
Pięćdziesiąt razy sto tysięcy razy dziesięć razy dziesięć...

Kwa! Sto tysięcy galonów benzyny miesięcznie po pięćdziesiąt centów więcej to ponad 50 tysięcy dolarów miesięcznie... czyli 6 milionów przez dziesięć lat... i 60 milionów przez sto lat...

Pokonam Puffa jego własną bronią. To ja wypuszczę benzynę pod nazwiskiem mistrza olimpijskiego. I nie będzie to Śmigły Wiatr.

Hmm... Śmigły Wiatr przebiega setkę w 10 sekund i jest szybszy od McJoggera. Ale...

Ha! Jeszcze szybszy jest Tygrys, który wyprzedza wozy policyjne. To będzie mój mistrz. A benzynę nazwę „Kaczogrodzki Huragan".

Pomogę Tygrysowi w ucieczce.

A zatem, następnego dnia...

„Przesyłam ci sprzęt do ucieczki. Jeśli chcesz zarobić parę dolarów... a nawet 50 dolarów, przyjdź wieczorem w miejsce, w którym cię aresztowano. Podpisano: Przyjaciel".

Trochę później...
Patrzcie. Właśnie skończyłem łowić ryby i wychodziłem z tego zagajnika...
Oj, wujku!
Opowiadałeś nam historię swojego heroicznego czynu już 89 razy.

Cicho bądźcie i słuchajcie. Muszę wam pokazać, jak to wyglądało.

Tymczasem...
To tutaj mnie aresztowali. Ale nie widzę „przyjaciela".

Oby szybko przyszedł. Słyszałem już wycie syren alarmowych w więzieniu. Nie chcę, żeby mnie złapali.

Podniosłem rybę, która spadła mi na ziemię...

...a kiedy ten łajdak dalej uciekał... bam!

Ratunku!
Ojej! Kogoś trafiłeś.
Chodźmy zobaczyć.

Wujku! Kamień uderzył tego pana.
Kwa!

Ale... to nie jest „pan". To Tygrys.
Złapałeś go drugi raz?

Che, che! Chyba weszło mi to w krew.
A ty co tutaj robisz?

Jak widzisz, znowu złapałem Tygrysa. I tym razem sto dolców należy się mnie.
Kwa! Do licha!

Wszystkie pióra ci powyrywam!
Ghhh! Uch...

Wujaszku, co ci strzeliło do głowy?

Już ja wiem co. Trzeba ocucić tego biedaka.

Szybciej! Pomóż temu nieszczęśnikowi i zanieś go do mojego samochodu.

Oho! Ktoś jedzie.
To policja. Słyszysz syreny?

Faktycznie...
Grrr!
Panie sierżancie, dopadłem go!

Brawo, chłopcze.
Znowu ty? Nie do wiary.
Che, che! Znam swoją wartość.

Au! Moja głowa...

A właśnie, panie komisarzu, czy należy mi się jakaś nagroda?
Tak, proszę. Oto sto dolarów. Należy ci się. Tym razem to tylko twoja zasługa.

To znowu ty, przeklęty kaczorze? Dostaniesz za swoje!
Zabrać go.
Ojć!

Oskubię cię co do piórka!
Nie przejmuj się. Tym razem zamkniemy go w klatce, z której nawet mysz by nie uciekła.
Eee... Wolałbym nie wpaść mu w ręce.

Kochane pieniążki! Cmok! Cmok!
Ptasi móżdżku! Powinienem posiekać cię na plasterki.

Wujaszku, dalej cię nie rozumiemy...
Potrzebowałem wolnego Tygrysa. A raczej... szybkiego.

A ty sprzedałeś go policji za marne sto dolarów!
Kwa!

Stój, wujaszku! Nie chcesz zrobić mu krzywdy.
Macie rację. Krzywda to za mało.

Do zobaczenia, kołku. Odezwę się, jak tylko chiński mistrz tortur poleci mi najbardziej wyszukaną zemstę.

Nie martw się, wujku. W Kaczogrodzie nie ma chińskich mistrzów tortur.
Mylicie się. Jest straszliwy Po-Bij-Go.

Najwyraźniej Sknerus też o tym wie...
KWIATY
Czym mogę służyć? Stokrotki polne? Żonkile?
Tortury.

W takim razie zapraszam do biura.
Żebyśmy się dobrze zrozumieli: te tortury to nie dla mnie.

Proszę oddać delikwenta w moje ręce. Od sześciu wieków moja rodzina wykonuje szlachetny zawód mistrzów tortur.
Doskonale.

Sknerus opowiada całą historię czcigodnemu mistrzowi...
...i dlatego chcę zadać mu jak najwięcej cierpień.
Czcigodny Sknerusie, twoje pobudki są bardzo szlachetne, ale coś tu nie gra. Kwanfucjusz mówił: „Kto zbije jajko, płaci i zabiera skorupki”.

A co ma Kwanfucjusz do mojego siostrzeńca?
Chcę powiedzieć, że twój czcigodny siostrzeniec popsuł ci szyki, więc musi to naprawić, wygrywając bieg.

To niemożliwe.
Dla Chińczyka nie ma rzeczy niemożliwych. W 1903 roku w Pekinie mój dziadek wygrał wyścig na zabalsamowanym koniu.

A ja przebiję to osiągnięcie. Sprawię, że kaczor zwycięży w biegu na 10 000 metrów na igrzyskach.
Jesteś wspaniały!

Przez skromność nie zaprzeczę. Triumf pańskiego siostrzeńca będzie ukoronowaniem mojej kariery. Proszę zostawić to mnie.

Następnego ranka o świcie Donald dostaje uprzejme zaproszenie do domu Sknerusa McKwacza...
Na szczęście jego siostrzeńcy nic nie zauważyli.
Che, che! Po-Bij-Go ma lekką rękę i cichy krok.

Teraz zaczniemy go trenować jak konia wyścigowego. Na początek trzeba go zważyć.
Przygotowałem już wszystko.

Hmm... O trzy kilogramy za dużo. Postaramy się, żeby je zrzucił.
Kwa! Ale mamy tylko osiem dni.

Spokojna głowa. Za osiem dni pański siostrzeniec będzie gotowy.
Liczę na to.

Wypuśćcie mnie stąd, do licha! Ratunku!
Spokojnie, przyjacielu. To dla twojego dobra.

Tym sposobem mój pradziadek w 1887 roku w trzy dni odchudził cesarza Sze-Fu o 40 kilo.
Na pomoc!

Ratunku... Uch... Nie wytrzymam... Aaa! Khy! Khy!
Opanuj się. Wyjdziesz z tego piękniejszy... Jeśli wyjdziesz.

I rzeczywiście – w końcu wychodzi, jeśli nie piękniejszy, to na pewno lżejszy.
Widzisz? Po co było tyle krzyczeć?
Uff... uff...
Teraz zaczynamy trening.

Co robisz?
Zasłaniam mu oczy jak koniowi, żeby jakiś niemiły widok nie podziałał mu na nerwy.

Czy na zewnątrz czeka już to, o co prosiłem?
Wszystko gotowe.
Uff... uff...

Jesteśmy na miejscu. Możemy zaczynać.
Uspokój się. To dla twojego dobra.
Niech was gęś! Co mi chcecie zrobić? Puśćcie mnie!

Nie musisz robić nic wielkiego, czcigodny kaczorze. Wystarczy biegać.
Biegać? Kwa! Z zasłoniętymi oczami? Mam rozbić sobie o coś dziób?

Nic sobie nie rozbijesz. Wystarczy biec w jedną stronę. To mechaniczna bieżnia.
Odmawiam. Nie będę biegał.

Nic z tego. Końmi mnie do tego nie zaciągnięcie.
Nie będziemy ciągnąć. I nie końmi.

Naprzód, Ostry!
Hau! Hau!

Bierz go, Ostry!
Ratunku! Co mnie goni? Lew?

Kwa! Zatrzymajcie tę bestię!
Dalej, Donaldzie. Już osiemnaście.
Hau! Wrrr!

Wujaszku, obudziliśmy się i wujka Donalda nie było, więc...
Ej, patrzcie!
Che, che!

Wujek Donald!
Co on wyprawia?
Ratujcie mnie! Płetw nie czuję!
Che, che! Zeszliśmy do szesnastu. Dobrze.
Hau! Wrrr!

Uff! Puff! Ziiip!

Wujaszku, możesz nam wyjaśnić, co to ma znaczyć?
To straszna chińska zemsta. Kto zbije jajko, płaci i zabiera skorupki.

Chińska zemsta?
Zgadza się. Wasz wujek nie zazna spokoju, dopóki nie przebiegnie stu metrów w 8 sekund.

Uff! Uff! Trzymajcie... tego... psa...
Wrrr! Hau!
W 8 sekund? Chcesz powiedzieć, że...
Kiedy wskazówka zatrzyma się na ósemce, Donald będzie mógł odpocząć.

Chcesz go wpędzić do grobu?
Przynajmniej wpędzę go tam biegiem.
Na dzisiaj wystarczy.

Nakarmię go, a potem pójdzie spać.
Uff... Uff...

Wujaszku, długo potrwa ta twoja zemsta?
Dopóki wskazówka nie dojdzie do ósemki. I ani minuty krócej.

Trzej siostrzeńcy się oddalają. Ale później, późnym wieczorem, wracają pod dom Sknerusa...
Czemu nas tu przyprowadziłeś?
Nie możemy pozwolić, żeby wujaszek Sknerus maltretował wujka Donalda.
FESTIWAL „WIEŚ TAŃCZY I ŚPIEWA"
TEATR „KLAPA"

Co chcesz zrobić?
Stoper musi wskazywać 8 sekund, nawet jeśli wujek nie wyjdzie ponad 18.

Rozumiem. Zamierzasz przy nim pomajstrować, żeby pokazywał niewłaściwy wynik.
Tak.

Po moich modyfikacjach wystarczy pobiec troszkę szybciej, żeby wskazówka zatrzymała się na ósemce.
Ale czemu wujaszkowi Sknerusowi zależy, żeby wujek Donald osiągnął 8 sekund na setkę?

Nie rozumiem go. Ale kiedy miliarder i oprawca z Dalekiego Wschodu robią coś razem, muszą z tego wyjść dziwne rzeczy.
Masz rację.

Następnego dnia...
Che, che!
Dalej, Donaldzie! Osiągnąłeś już 12.
Hau! Hau!
Uff! Puff!

Zobacz! Pokonał już sto metrów w jedenaście sekund.
Wiedziałem, że tak będzie. Moje metody treningowe są niezawodne.

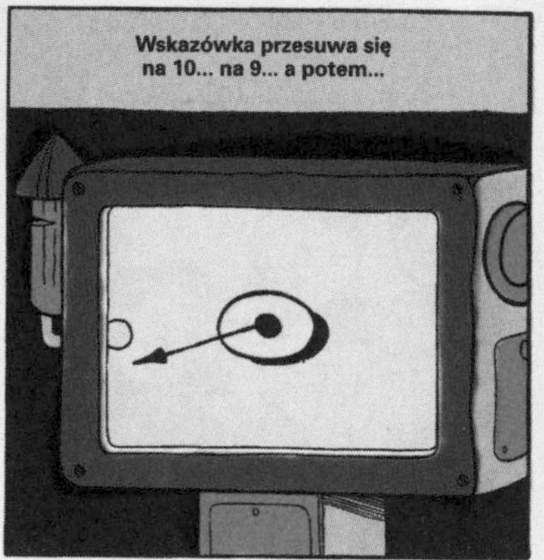
Wskazówka przesuwa się na 10... na 9... a potem...

...na wyczekiwaną ósemkę.
Niech żyje Kaczogrodzki Huragan! Juhuuu!
Hura! Czcigodny kaczor przebiega sto metrów w 8 sekund.

Niebawem...
Wujek Donald! Chińska zemsta już się skończyła?
Tak. Szybko, pakujcie walizki. Wyjeżdżamy do Australii.

Do Australii? A po co?
Nie wiem i nie chcę wiedzieć. Wujaszek twierdzi, że to wyjazd wypoczynkowy.

Wujek Sknerus funduje nam wyjazd wypoczynkowy? Hmm... hmm... i jeszcze raz hmm...
Co to znaczy? Chcecie zobaczyć krainę kangurów?

Tak! Tak! Tak!
W takim razie bez szemrania.

Chciałbym wiedzieć, co będziemy robić w tej Australii.
Che, che! Założę się, że wujaszkowi jest głupio z powodu tej zemsty i chce mi to wynagrodzić wakacjami.

A jeśli w Australii wujaszek każe ci robić coś, czego nie chcesz robić?
Zgarnąłem sto dolarów, więc jakoś wrócimy do domu.

W takim razie... niech żyje kraina kangurów!
Juhuuu!
Niech żyją bumerangi!

To będzie nasza najfajniejsza podróż.
Tym razem się z tobą...
...zgadzamy.

Powiedziałeś czcigodnemu siostrzeńcowi, że ma biec na 10 000 metrów?
Nie. Na wszelki wypadek zachowam to jak najdłużej w tajemnicy.

Mój konkurent zgłosił do biegu pewnego Indianina. Nie chcę, żeby utrudniał Donaldowi start w zawodach. Jest zdolny do wszystkiego.

Ale słyszałem, że wystartuje mistrz McJogger...
Phi! Ten żółw przebiega setkę w 11 sekund. Nie zagrozi Donaldowi.

Mój siostrzeniec ma zwycięstwo w kieszeni. Jak zobaczymy Australię, trzeba wysłać drogą radiową zgłoszenie do Komitetu Olimpijskiego.
Kaczor zostanie mistrzem, a ja będę w siódmym niebie.

Za niecały miesiąc cały świat pozna nową benzynę pod nazwą „Kaczogrodzki Huragan".
A mnie docenią w Chinach jako godnego potomka rodu mistrzów tortur.

Tymczasem w Kaczogrodzie McJogger rozpoczyna ostatni trening...
Honor Kaczogrodu leży w twoich rękach... a raczej nogach.
Trzymamy kciuki. Musisz pokonać granicę 11 sekund na setkę.
Czuję, że mi się uda.

Start!
Niech pan mierzy czas, komisarzu.

Czuję, że dzisiaj stać mnie na wiele.
LOLA-COLA

Ojoj!

Ratunku!
McJogger!
Co się stało?
RYMS
TRZASK

Słyszałem trzask.
Obawiam się, że złamałem nogę.

Wezwijcie lekarza.
Tak jest!

Trochę później...
Proszę powiedzieć „ele, mele, dudki".
Ele, mele, dudki.

Pacjent ma złamaną nogę w trzech miejscach.
Za ile dni będzie mógł znowu biegać?

Dni? Chyba miesięcy. Trzeba mu założyć gips przynajmniej na sześć tygodni.
Rety! Niemożliwe. Musi wystartować w igrzyskach.

To wystartuje. Za cztery lata. W tym roku nie ma o tym mowy.
Ojej!

To koniec marzeń o złotym medalu.
I o chwale Kaczogrodu.

Tego wieczoru...
Słuchaj, jest gorzej, niż myślałem.
Co się stało?

Podobno do biegu na 10 000 metrów zgłoszono na razie dwóch zawodników. To Indianin, niejaki Śmigły Wiatr, i Afrykanin Tup-Tup.
E tam. Tup-Tup jest słaby.

Słaby czy nie... jeden z nich dwóch wygra. Nie rozumiesz? Mistrzem nie zostanie jeden z naszych.

Zwycięstwo w tym biegu to prestiżowa sprawa.
Trzeba szybko znaleźć zastępcę.

Nie znam nikogo równie dobrego jak ty.
Ale ja znam.

Trzeba tylko... pssst... pssst...
Masz rację. Ktoś taki zapewni nam sukces na igrzyskach.

A zatem...
Cześć, Tygrysie.
Zostaw mnie, glino.

Posłuchaj, kolego. Proponuję ci wolność.
Co to za fortel?

Powinieneś spędzić w celi 99 lat. Ale zostaniesz uwolniony, jeśli zdołasz wygrać bieg na 10 000 metrów na igrzyskach.
Phi! To dla mnie pestka.

A zatem dwaj śmiertelni wrogowie zmierzają w to samo miejsce, żeby wystartować w tym samym biegu, chociaż nie wiedzą o sobie nawzajem. Donald nie wie nawet, że bierze udział w zawodach. Co się stanie, kiedy Sknerus mu o tym powie? A przede wszystkim, kiedy siostrzeńcy mu zdradzą, że 8 sekund na sto metrów to było oszustwo? Chociaż... czy na pewno mu o tym powiedzą? Tego wszystkiego dowiemy się już wkrótce w krainie kangurów...

Walt Disney
KACZOR DONALD
Kaczki w krainie kangurów (cz. 2)
KOALA COLA
BUMERANG COMPANY
Dotarliśmy do Melbourne, wujku.
Oho! Chyba płynął z nami ktoś sławny. Widzicie, ilu tu dziennikarzy?
Che, che!

Ale gdy tylko Donald postawił płetwę na lądzie...
Czuje się pan w formie?
Proszę o uśmiech.
Proszę o uśmiech.
Ma pan coś do powiedzenia mediom?
Co to ma wszystko znaczyć?
Kwa! Hmm...

Proszę się rozejść. Bohater jest zmęczony.
Prosimy. Krótkie oświadczenie dla prasy i damy mu spokój.
Wielki Donald? Bohater?

Szybko, powiedz, że na pewno będziesz pierwszy.
Pierwszy? Gdzie?

Nie mędrkuj, tylko powtórz, co ci mówię.
Uch!

Na pewno będę pierwszy.
Wspaniale! Historyczne słowa.

No? Co to za historia? Gdzie mam być pierwszy?
W biegu na 10 000 metrów.
Nareszcie...
...zaczynamy...
...coś z tego rozumieć.
W biegu na 10 000 metrów?
Właśnie. Podczas rejsu wysłałem twoje zgłoszenie do Komitetu Olimpijskiego.
Kwa! Mam się ścigać z największymi biegaczami świata?
Masz się nie tylko ścigać, ale przede wszystkim wygrać.
Jeszcze nie zwariowałem. Wracam do Ameryki.
Słuchaj no, ptasi móżdżku!
Ostry, ty go przekonaj.

Che, che!
WRRRAU
Ratunku!

Zabierzcie ze mnie tego lwa!
Zabierzemy, jak nas wysłuchasz.
Wrrr!

Ty młotku! Proponują ci sławę, a ty ją odrzucasz?
Sławę?

Jak wygrasz bieg, gazety z całego świata będą o tobie pisać i drukować twoje zdjęcia.
Ale jak miałbym wygrać?
Che, che! Jesteś murowanym faworytem.

Kto? Ja?
No jasne! Nie pamiętasz, że umiesz przebiec sto metrów w 8 sekund?
To rekordowy czas. Jesteś fenomenem.

Fenomenem? Hmm... Też zaczynam w to wierzyć.
I to jakim. Nazwiemy cię Kaczogrodzkim Huraganem.

W sumie kiedy biegłem po tej mechanicznej bieżni, czułem, że pędzę jak strzała.
Che, che! A jutro zmienisz się w rakietę.

Jutro zachwycę wszystkich!
I o to chodzi!

Słyszeliście, chłopaki?
Tak.
Niestety.

Wujek Donald nie wie, że przerobiliśmy stoper. Święcie wierzy, że jest pędziwiatrem... a naprawdę rusza się jak mucha w smole.

Trzeba go ostrzec, bo się skompromituje.
Nie! Czekaj.

Jak mu powiemy, będzie chciał od razu wracać do Kaczogrodu. A my nie zobaczymy igrzysk ani kangurów.

Lepiej nic mu nie mówmy.
W sumie przywykł do obciachu.
Nic się nie stanie, jak skompromituje się jeszcze raz.

Chłopcy, wujek Sknerus dał mi całe wolne popołudnie na zwiedzanie Melbourne.
Hura! Chcę zobaczyć kangury.
A ja – kupić bumerang.
A ja chcę loda.

Che, che! Dostaniecie wszystko, na co zasługujecie.
Jak fajnie...
...mieć w rodzinie...
...mistrza olimpijskiego.

KASA
CODZIENNIE O 20:00
1,50 $
WIELKIE WIDOWISKO Z UDZIAŁEM KANGURÓW
ZAPRASZAMY O GODZINIE 20:00!
Patrzcie. Chcieliśmy zobaczyć kangury. Pójdziemy tam, wujku?
Nie dziś. Mistrz olimpijski musi odpocząć w przeddzień wielkiego biegu.

W takim razie nigdy tego nie obejrzymy.
Pójdziemy jutro po moim zwycięstwie w biegu.
Kupisz nam bumerangi, wujku?
No pewnie.
BUMERANGI OLIMPIJSKIE 5 $
A zatem...
Mistrz olimpijski...
Ech! Te patyki kosztowały mnie 20 dolarów.
...nie dba o pieniądze.
Ciekawe, czy trudno używać tych bumerangów...
E tam. Bułka z masłem.
Patrzcie i uczcie się. Mój bumerang trafi w tę tablicę, a potem wróci prościutko do mnie.
No, pokaż.
Dawaj.
IGRZYSKA OLIMPIJSKIE

Hop!
ZIUUU

BAM
ZIUUU

Uch!
PAC
BRZĘK
TRZASK
ZIUUU

Kwa! Chyba pomyliłem cel.

Moja wystawa! Chuligani! Zapłacicie za to! Policja!

To was nauczy.
PIF PAF PIF

W nogi! W nogi!
Ratuj się, kto może!
ŚWIIIST
ŚWIIIST
ŚWIIIST
ŚWIIIST

Ale bumerang, jak to bumerang, wraca do rzucającego...
ZIUUU
Uff! Puff!
Uff!
Ziiip! Uff!
Puff!

Zatrzymajmy się. Już nic nam nie grozi.

Kwak!
ŁUP

DZYŃ
DZYŃ
DZYŃ

Żyjesz, wujku?
Żyję, ale co to za życie... Chcę poćwiczyć rzucanie tym przeklętym ustrojstwem.

Patrzcie. Chcę trafić w tamto drzewo.
Tutaj przynajmniej...
...nie ma szyb...
...które mógłbyś zbić.
Piiisk! Piiisk!
SSS

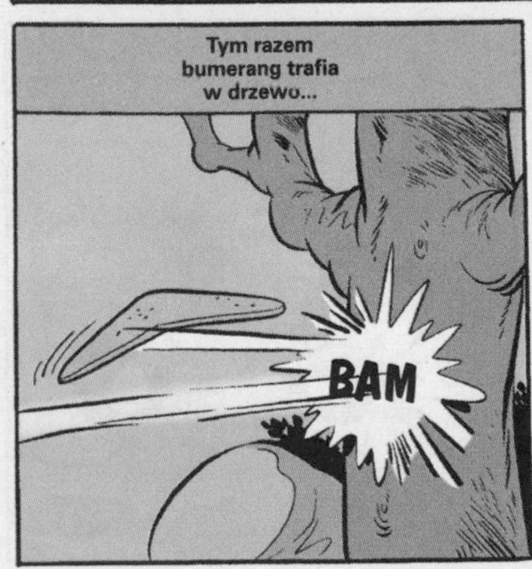
Tym razem bumerang trafia w drzewo...
BAM

...a potem błyskawicznie wraca do Donalda...
Uwaga! Padnij! I patrzcie, dokąd poleci.
ZIUUU

Ojej! Wąż oberwał w głowę.
Brawo, wujku. Uratowałeś temu kangurowi życie.
PRASK
ZIUUU

Chodźmy uwolnić zwierzątko.

Kangury to bardzo wdzięczne stworzenia...

CMOK
CMOK
Dosyć! Bez przesady!

Wracajmy do hotelu. Mieliśmy ciężki dzień.
Patrzcie! Kangur idzie za nami.

Niech z nami zostanie.
Nazwijmy go Kangi.

Ale po przybyciu do hotelu...
Co to za bestia?
To nie bestia.
To nasz kangurek. Nazywa się Kangi.

Kangurek czy nie, wyrzućcie go stąd. Nie chcę płacić za jego pobyt.
Kri?

Kri!
Kwa!

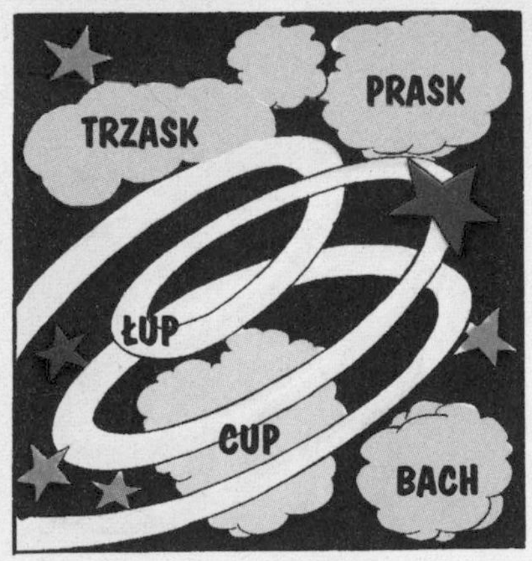
PRASK
TRZASK
ŁUP
CUP
BACH

ĆWIR
ĆWIR

Ostry! Twoja kolej!
Hau! Wrrr!

BACH
Kri!

PRASK
CIEP
ŁUP
BAM
BUCH

TRACH

Brawo, Kangi. Prawdziwy z ciebie przyjaciel.
Che, che! Zasłużyłeś na miejsce...
...w naszej rodzinie.

Chodźmy spać, chłopcy. Jutro muszę wstać wypoczęty przed biegiem.

Wkrótce...
Kwa! Co ja widzę?
O co chodzi?

Patrzcie. Jutro będę miał jeszcze jednego przeciwnika.
GAZETA CODZIENNA
NOWY MISTRZ ZGŁOSIŁ SIĘ DO BIEGU NA 10 000 METRÓW
Z OSTATNIEJ CHWILI

Tajemniczy książę Romuald nie pozwala się fotografować i oświadcza: „jutro wygram".
Che, che! Jakiś fircyk z arystokracji chce pokonać wielkiego Donalda?

Dobranoc, chłopcy. Jutro ten książę pozna gorycz porażki.
No tak.

Następnego ranka...
Biegnij na stadion. Będziemy oglądać cię z trybun.
Dobra.

Ale gdyby przyszło ci do głowy nie wygrać, pamiętaj, że jestem mistrzem w rzucaniu nożem.
Kwa!

Umiem trafić w cel z pięciuset metrów.
S-spokojnie. W-wygram.

Na szczęście wiem, że umiem przebiec setkę w 8 sekund. W przeciwnym razie nie postawiłbym na swoją skórę nawet ośmiu centów.

Wkrótce na stadionie olimpijskim...
No proszę. Puff! Ty też tutaj, McKwacz? Co cię sprowadza?
Zwycięstwo, mój drogi.

Moje zwycięstwo. Puff! Za godzinę sto tysięcy osób pozna nazwę „Śmigły Wiatr". Za dziesięć dni pozna ją dziesięć milionów. A za miesiąc – miliardy. Puff!

Za miesiąc miliardy osób pozna nazwę „Kaczogrodzki Huragan".
Co ja słyszę? Też wystawiłeś swojego zawodnika?

Zgadza się. Mój mistrz pokona twojego.
Che, che! Puff!
Przepraszam bardzo...

Mogę się przedstawić? Jestem wódz Kum-Kum. Też wystawiłem zawodnika.

Nazywa się Tup-Tup i jest dumą plemienia. Jeśli dziś wygra, mianuję go swoim zastępcą.
Che, che!
Puff!

Wolę nie myśleć, co będzie, jak wujek zobaczy, że nie umie biegać.
Lepiej się nad tym nie zastanawiać. Co się stało, to się nie odstanie.

Tymczasem wiekopomna chwila zbliża się wielkimi krokami...
Tak, panie sędzio.
Dobra.
Howgh.
Stańcie na linii. Jak tylko przyjdzie książę Romuald, dam sygnał do startu.

Jeszcze chwila. Książę już idzie.

Proszę, wasza wysokość. Pozostali już gotowi.
Prych!
IGRZYSKA OLIMPIJSKIE

Prych!

Prych!

Start!
PAF

Che, che! Już ja pokażę tym fajtłapom.

Zanim pokonają połowę dystansu, ja już będę na mecie.

Bieg rozwija się zgodnie z moim planem.
Przez pierwsze 5 tysięcy metrów będę się oszczędzał, a potem popędzę jak rakieta.
Przez pierwsze 5 tysięcy metrów będę się oszczędzał, a potem popędzę jak strzała.
Che, che! Pędzę jak lokomotywa.

Wujek Donald na prowadzeniu.
Hura!
Może niepotrzebnie się martwiliśmy.

Che, che! Mam już zwycięstwo w kieszeni.
Dzisiaj Tup-Tup zostanie zastępcą wodza.
Puff! To jeszcze nie koniec dystansu.

Już czuję laur zwycięzcy na swoich skroniach.

Blady dziób zachowuje się jak głupia squaw. Marnuje siły na początku.
Ten kaczor nawet nie dobiegnie do końca.

Ten ptasi móżdżek spuchnie, zanim zobaczy metę.

Chcę spojrzeć mu w oczy.

Pewnie już mięknie.
Hmm. Ktoś depcze mi po płetwach.

Kwak! Tygrys!
Grrr! Kaczor!

Płetwy ci z kupra powyrywam!
Ratunku! Na pomoc!

Nadszedł czas zemsty.
Ratunku! Policja!
?

Jejku! Zabije go!
Kri?

Ratuj go, Kangi!
Kri!

Do licha! Co się dzieje?
Na feng shui!

Ostry, wkraczasz do akcji!
WRRRAAAU

Kangi, ratuj!
Kri!
Nikt cię nie uratuje.

Uch!
Kri!

Muszę wziąć nogi za pas.

Nie uciekniesz mi, kaczorze!

Szybciej! Szybciej!
Zaraz cię dopadnę.
Kri!
Hau! Hau! Wrrr!

Hura! Donald prowadzi i przebiega sto metrów w 5 sekund.
Puff! Che, che!

„Che, che"? Co to ma znaczyć, miliarderze za dychę?
Puff! Miliarderze od siedmiu boleści, tak się składa, że twój mistrz biegnie w drugą stronę.

Zamiast na metę, przybiegnie na start.
Do licha! Rzeczywiście.
Ojoj! Wujek Donald nas potrzebuje.

Ojoj! W nogi!
Kri!

Aaa! Trzeba przyspieszyć.
Uff! Uff!

Uff! Uff!
SĘDZIOWIE

Donald przebiega
linię mety...
Ratuj się,
kto może!

Uch!
Och!

Uff! Uff!
Grrr!
Jau!
Kwa!
Kri!

Na duchy
przodków! Jestem
pierwszy.
Śmiało! Jeszcze
tylko dwa metry.

Biegnij!
O nie!

Oto mistrz olimpijski na 10 000 metrów, Tup-Tup.
O nie!
Tymczasem policjanci rozdzielili walczących...
Moja zemsta będzie straszna, Donaldzie.
Śmigły Wiatr nie zniesie upokorzenia. Blady dziób pożałuje.
Kwa! Czyli pożałuję cztery razy.
Stać! Cisza!
Mój honor został splamiony. Tylko krzywda kaczora zmyje tę hańbę.
Grrr! Przeklęty kaczor! Przez ciebie nie wygrałem, więc trzeci raz odbierasz mi wolność. Nogi ci z kupra powyrywam.

Zostawcie kaczora w spokoju, jeśli wszyscy nie chcecie trafić do więzienia.
Wygrałeś ze Śmigłym Wiatrem i przez ciebie straciłem miliardy dolarów. Puff! Jeszcze o mnie usłyszysz.
To już pięć razy.
Chodźmy, wujku.

Przynajmniej pocieszam się myślą, że wygrał Tup-Tup. Był najsympatyczniejszy.
Mhm. Ale teraz wydaje się jakiś smutny.

Co jest? Czemu płaczesz?
To Tup-Tup z plemienia Wolnych Buszmenów.
STADION
Chlip!

Trzy razy uczestniczył w igrzyskach i zawsze przybiegał ostatni, przynosząc honor plemieniu.
Ech! Teraz nazwą mnie Tup-Tup Szybki i nie będę już godzien miana Wolnego Buszmena...

Przykro mi, ale nie wiem, jak...
Przypomniałem sobie. Moi przodkowie wyrywali kaczorom pióra.

W kółko to samo.
Hej! Moi przodkowie zbierali skalpy...

Później...
I co teraz?
Możemy zrobić tylko jedno. Wracamy do domu.

Myślisz, że pieniądze, które ci zostały, wystarczą na bilety?
Nie. Ale zapłacimy za podróż zmywaniem naczyń na statku. Chodźmy do portu.

Ale w porcie w Melbourne...
Ojć!
Czekałem na ciebie.
Oho! Nasz kaczor.
PORT

Dokąd teraz?
Stać mnie na bilety kolejowe. Pojedziemy do portu w Sydney.

W porcie w Sydney...
Kwa!
Howgh!
Puff!

A teraz...
...dokąd...
...bieg-
niemy?
Mam jeszcze
pieniądze na kolejny
pociąg. Wypłyniemy
z portu w Brisbane.

W porcie w Brisbane...
Kwak!
Mniam, mniam!

Stać mnie
jeszcze na...
Rozumiemy.
Pojedziemy
pociągiem do
portu w Halifax.

W porcie w Halifax...
Rety!

Pomocy! Kwa!
W nogi!
PIF PAF
PIF PAF
PIF PAF

Później...
Nie mam już pieniędzy na żadne pociągi.
A na tym wybrzeżu nie ma więcej portów.

Byliśmy w Melbourne, Sydney, Brisbane, Halifax...
Dobra. Wypłyniemy z Perth.

Ale, wujku, musielibyśmy przemierzyć całą Australię. A ty nie masz już kasy na pociąg.
Mamy jeszcze płetwy. Pójdziemy piechotą.

Piechotą? Kwa! Zaraz obliczę odległość.
Licz sobie, licz. I tak pójdziemy.

Stąd do Perth mamy aż 3 270 kilometrów.
Wszystko jedno. Idziemy.

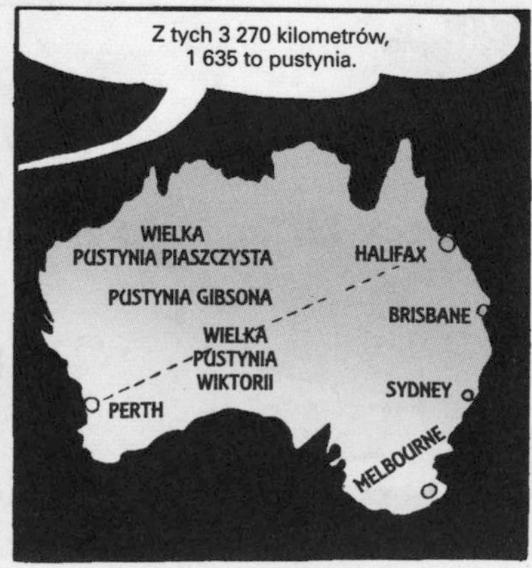
Z tych 3 270 kilometrów, 1 635 to pustynia.
WIELKA PUSTYNIA PIASZCZYSTA
PUSTYNIA GIBSONA
WIELKA PUSTYNIA WIKTORII
HALIFAX
BRISBANE
SYDNEY
MELBOURNE
PERTH

Pal sześć pustynię. Idziemy.
Rozkaz!
Tak jest!

A zatem...
Mnie się nie spieszy.
Idąc w takim tempie, opuścimy Australię przed następnymi igrzyskami.

Chłopaki, a może by tak... pssst... pssst... pssst...
Jasne!
Trzeba mu powiedzieć.

Wujku, wiedzieliśmy, że nie wygrasz. Majstrowaliśmy przy stoperze.
Co?!

Łobuzy! Wandale! Sabotażyści!
No i dobrze.
W ten sposób dotrzemy do Perth...
...kilka miesięcy wcześniej.
Kri! Kri!

KONIEC

Scenariusz i rysunki: Romano Scarpa

Uwaga! Tam jest!
Wskoczył do tej nory.

Zmieszczę się tam. Jeśli nie ma wyjścia z drugiej strony, mogę go złapać.

Uważaj, Miki. Dzikie zwierzęta są bardzo niebezpieczne.

Hej! Orzeł ma chrapkę na zająca. Zaraz go spłoszę.

A masz!
BUUUM
PAF

Rety! Ale potężna ta strzelba.
BU-BU-BUUUM

SZUUUU

FRUSZ

Później...
Nareszcie jesteś, Miki. Złapałeś go?
Ekhem... Uff! Puff! Niestety, jednak było drugie wyjście.

Wiesz, strzeliłem na wiwat... i gruchnęło, jakby był koniec świata. Co to za naboje?
Że co?

Nie wiem, o co ci chodzi. Naboje są te same co zwykle.
Ale dałbym głowę...
1313

Do licha, Goofy! Od kiedy jesteś taki zwinny?
1313
BRUM BRUM

Pospieszmy się. O ósmej muszę zadzwonić do Min... Ojoj! Coś nie tak z silnikiem?
Ojć!
BRUM
TRZASK

Nie, wszystko gra. Jedziemy.
Uch! Eee... Miki... Hej!

Co jest? Czemu się tak denerwujesz?
Uff! Puff! Ha-ha-hamuj! Uch!

Uff! Puff! Miałem mały wypadek, kiedy wsiadałem. Muszę iść na własnych nogach.
1313

Później w domu...
Zapomniałem kluczy. Sprawdź, może zostawiłem drzwi otwarte.

Na to wygląda, więc nic się nie martw.
?!?
TRACH

Skąd się wzięła ta twoja nadludzka siła?

Grrr! Ta mucha działa mi na nerwy.
?
PRASK

Ojć! Gdzie się podziałeś, Miki? Co robisz na drzewie?

A zatem, następnego ranka...
Dokąd mnie prowadzisz, Miki?
Zobaczysz. Myślę, że trzeba jakoś zapanować nad tą twoją siłą.

Jesteśmy na miejscu. Tutaj możesz poćwiczyć do woli. Zobaczysz...

Chłopaki, widzicie tego siłacza?
Che, che!
Cha, cha, cha!

Grrr! A to głupcy. Chcę im pokazać, z kim mają do czynienia.
Spokojnie, przekonają się...

Goofy, tylko spokojnie. Dziś rano masz trochę za mocną prawą.
TRZASK

?!
?!
?

Dalej, Goofy. Uderz mocno w ten worek treningowy.
W to coś?

Tak dobrze?
Uch!
Och!

Co się tu dzieje? To jest Andrieja Miernota, mistrz świata wagi piórkowej.
A to jest Goofy, amator.

Miło mi.
Mi... mi... miiiiii!

Jakaś tajemnicza postać obserwuje z góry wydarzenia w sali...
Zdumiewające.

Olek, zejdź do sali i przyprowadź mi tego wysokiego razem z jego koleżką. Tak, o nich mówię. Byle szybko.

Od trzydziestu lat szukam boksera, zdolnego wypełnić mój plan zemsty. Ten typek to chyba jest to...

Byłem największym pięściarzem w dziejach. W każdym razie niewiele mi do tego brakowało, kiedy podczas decydującej walki w wadze ciężkiej zdarzył się ten straszny incydent. Jeszcze dzisiaj się trzęsę.

Witajcie, moi drodzy. Jestem Klaus Perukka, największy promotor świata. Moje gratulacje!
!!!
?

Kolego, masz najmocniejszy cios, jaki widziałem. Oto kontrakt na walkę z mistrzem świata w wadze piórkowej.
Podpisać, Miki?
No pewnie.

Osiągniesz szczyt sportowej kariery, a ja z dumą ci w tym pomogę.
Nasza wdzięczność nie zna granic.

Hura, Goofy! Będziesz wielkim mistrzem!
No... cieszę się, Miki...

Nazajutrz wczesnym rankiem Goofy zaczyna treningi pod okiem Mikiego...

Idziemy, Goofy. Ubierz się, bo pan Perukka zaprosił nas na obiad za pół godziny.
Obiad? Świetnie, mam wilczy apetyt.

Ech! Mleko i grzanki?
Przykro mi, Goofy. Musisz zjeść coś lekkiego, żeby nie przekroczyć dopuszczalnej wagi.

Jaką taktykę przyjmie pan podczas walki w przyszłą sobotę?
Oho, dziennikarze.
Wyjdzie pan z ringu żywy?

SPORT
DOWCIP ROKU: GOOFY TWIERDZI, ŻE POKONA ANDRIEJA MIERNOTĘ

Macie przed sobą przyszłego mistrza świata.
Proszę, proszę! Jestem z ciebie dumny.

Pod nami Nowy Jork. Ta wielka metropolia padnie nam do stóp.

Po lądowaniu w Nowym Jorku nasi bohaterowie umknęli przed tłumem dziennikarzy, po czym skryli się w barze, gdzie Klaus Perukka od razu poszedł zadzwonić...

Nadszedł dzień wielkiego meczu. Goofy i Miki czekają w hotelu na Perukkę, aż w końcu...
No, szykujcie się, chłopcy. Taksówka czeka.
Już idziemy.

Hala pęka w szwach. Goofy, pamiętaj o zaleceniach. W pierwszej rundzie trochę odpuść, daj się obić, żeby publika miała rozrywkę, a potem, na mój sygnał, zaatakujesz.
Dobra.

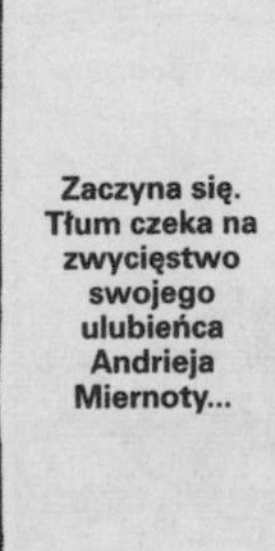
Zaczyna się. Tłum czeka na zwycięstwo swojego ulubieńca Andrieja Miernoty...

Rozpoczynamy walkę o pas mistrza świata wagi piórkowej.

Przed państwem mistrz Andriej Miernota, 56 kilogramów, niepokonany w dwudziestu ośmiu walkach...
GWIIIZD
KLASK
KLASK
KLASK
Naprzód, Andriej!
Roznieś go!

A oto pretendent, Goofy, 55,86 kilograma, debiutant... Ojć!
BUUU BUUU

Tak mnie będą traktować? Niedługo się zdziwią.
Spokojnie, Goofy. Pamiętaj o zaleceniach pana Perukki.

GONG
Cisza! Zaczyna się.
Andriej ma go na widelcu.
Przywal mu!

Aj! Oj! Aj!
Już po nim!
Co? Po walce? Tak szybko?
PRASK
A skąd, to tylko mała próbka.

Cha, cha!
Che, che!
Ululaj go, bo się obudzi!
Sędzia, zaśpiewaj mu kołysankę!
Nie ma potrzeby.

Chi, chi! Od trzydziestu lat jestem kibicem boksu, a czegoś takiego nie widziałem.
Oho! Podnosi się.

Patrzcie – jaki sierpowy!
Tym razem to koniec.
CIEP

Dokąd on leci?
Chce się stąd ulotnić?
ŚWIIIST
BUM

O, dobrze, że pana widzę. Poproszę gumę do żucia.
!

Wracam na ring.
Tym gorzej dla niego.
Ty znowu tutaj?

Nasz Andriej jak zawsze uprzejmy.
Czekaj no, pomogę ci...
?

Ach, nie zrozumiał dobrych intencji Andrieja.
Sam jest sobie winien.
GRUCH

Ekhem... Chciałem mu pomóc... eee... wejść na ring.
Patrzcie! Goofy wstaje...
Zgłupiał do reszty!

Walka robi się nieuczciwa. Nie wiem, czy Goofy wytrzyma do końca rundy. Może lepiej, żeby zaatakował teraz, bo jak nie...
Ojej!

Uderzył w reflektor!
!!
?!
BONG

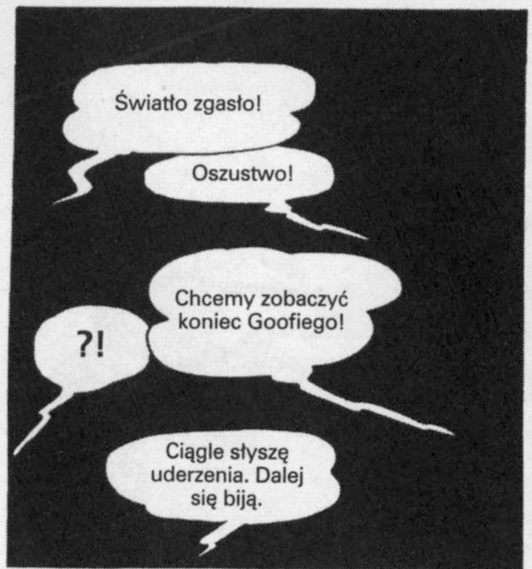
Światło zgasło!
Oszustwo!
Chcemy zobaczyć koniec Goofiego!
?!
Ciągle słyszę uderzenia. Dalej się biją.

Raczej Andriej dalej bije.
BACH
PRASK
Ciągle słyszę uderzenia. Nadal się biją.
!
Zapalcie światło!

Nareszcie znowu jest światło.
Goofy jeszcze wisi na reflekto...
Ekhem...
?!
!

Goofy słania się na nogach.
Andriej rzuca się naprzód. Teraz go wykończy.

Ale rozlega się gong, kończący pierwszą rundę...
GONG

Gong uratował Goofiego przed nokautem. Zebrał ciosy, które zniszczyłyby czołg. Nie wiadomo, jakim cudem utrzymuje się na nogach, ale to się powinno skończyć w następnej rundzie. Andriej Miernota z pewnością pokaże, że jest mistrzem.

Głowa do góry, Goofy. Koniec żartów. Atakuj.
Tak jest.

GONG
Zaczyna się druga runda. Andriej Miernota rusza jak rakieta i...

Co jest?
Hę?
BACH
?
?
?
?
?

BUUU GWIIIZD BUUU OOOOCH
!

P-powalił Andrieja.
Niemożliwe!
Katastrofa!

...8... 9... 10... nokaut! Goofy zostaje nowym mistrzem świata wagi piórkowej.
?
!
!
!

Hura! Mistrz, mistrz, Goofy mistrz!
Dobrze, dobrze. Pierwsza część planu powiodła się doskonale. Reszta przyjdzie sama...

Jak się czujesz, Goofy?
No, tego...

Pilne wezwanie z Patison Skwer Garden.
EEEOOO EEEOOO

Masowe omdlenia. Goofy pokonał Andrieja Miernotę.

Wkrótce...
Gonią nas. Ale nie wiem, czy chcą nam gratulować, czy...
Raczej nas zlinczować. Stracili swojego idola, a co gorsza, pieniądze z zakładów.

Odnieśliśmy dziś wielki sukces, ale to nie koniec. Goofy po kolei zdobędzie wszystkie światowe tytuły.

Kwadrans później...
Wydanie nadzwyczajne! Zaskakujący wynik walki o mistrzostwo świata!

SPORT
GOOFY NOKAUTUJE W DRUGIEJ RUNDZIE!
ŁUT SZCZĘŚCIA?

„Szczęścia", tak? Pismaki nie znają się na boksie. Dobra, pokażemy im.

I nie ma mowy o rewanżach. Za parę dni zaczniesz treningi przed meczem o następny pas mistrzowski.
W porządku.

Ku zdumieniu kibiców i dziennikarzy nikt nie może zatrzymać Goofiego, który atakuje kolejne tytuły mistrzowskie w boksie...

Skoro Goofy już pojechał, słuchaj, Miki. Proponuję ci interes...
A co z pańskimi zawrotami głowy?

Daj spokój. Pora wykonać plan, który obmyśliłem już przed laty. Postaramy się, żeby Goofy przegrał walkę...
Że co?!

Teraz wszyscy widzą w nim faworyta i nikt nie stawia na jego przeciwnika. A my to zrobimy i wygramy fortunę.
Ale... zwariował pan? Chce pan ustawić walkę?

Jeśli na tym polegał plan, uprzedzam, że ani ja, ani Goofy nigdy nie zniżymy się do...
Niech ci będzie, lalusiu. Spodziewałem się tego.
Dlatego wysiedliśmy tutaj.

Ten tartak strasznie hałasuje.
Dokąd idziemy?
ZZZYYYNG

Co to takiego? Studio?
Zgadza się.

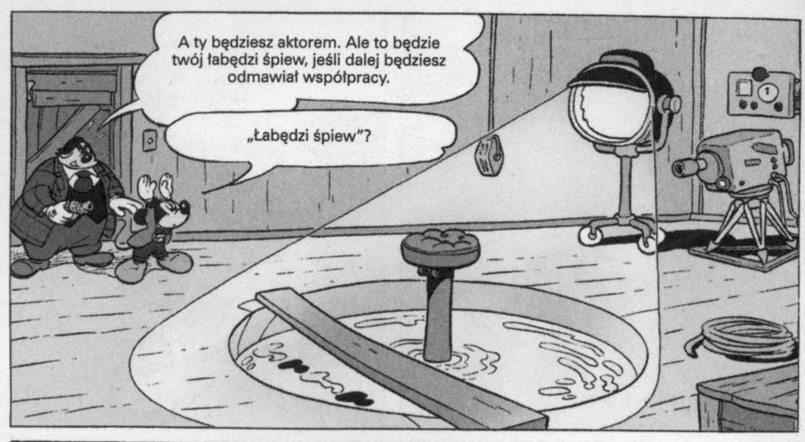
A ty będziesz aktorem. Ale to będzie twój łabędzi śpiew, jeśli dalej będziesz odmawiał współpracy.
„Łabędzi śpiew"?

Właśnie. Nie uwolnisz się z tych więzów. A we właściwym czasie...

...automatyczna komenda sprawi, że siedzenie zacznie się powoli obniżać, aż...
Czyli chce mnie pan utopić? Co za łotr!

O nie. Mam bogatszą wyobraźnię. Pokażę ci małą próbkę...
KARMA

Wyobraź sobie, że jesteś na miejscu tej szynki. Wystarczy parę minut i...
?

...zostaje tylko kość. Jak widzisz, raczej nie zdążysz utonąć.
Co... co to znaczy?

Wielkie nieba! Piranie!
No jasne. Mniej więcej sto. Myślę, że tyle wystarczy.

Jeszcze nie rozumiesz? Ta kamera rejestruje kolejne fazy twojego zanurzania się i przekazuje obraz do przenośnego odbiornika. Podczas przerw w meczu, Goofy będzie mógł cię oglądać...

Zagraj naturalnie, dobrze ci radzę. Musi się wzruszyć. I możesz krzyczeć, ile chcesz. Nikt nie usłyszy.
KLANG
ZYYYNG

Che, che! Świetnie. Któryś z nich musi ustąpić i mój plan się powiedzie. Che, che!
ZYYYNG

N-nie chcę złamać Goofiemu kariery, ale... z drugiej strony... czuję się za młody, żeby umierać...

Mam tylko kilka minut, żeby znaleźć rozwiązanie. Zaraz... Chyba wiem. Chociaż ryzyko jest duże... i te przeklęte ryby...

Wkrótce diaboliczny Klaus Perukka dociera do hali...
Postawiono masę pieniędzy, szefie. Wszystkie na Goofiego. Ja też postawiłem swoje zaoszczędzone 13 dolarów...

Walka zaczyna się za pięć minut. Zdążę jeszcze przekabacić tego głupola.

O, pan Perukka. Nareszcie pan jest. Ale... nie widzę Mikiego. Gdzie się podział?
Zobaczysz go, nie bój się. A teraz słuchaj uważnie...

Miki i ja... ekhem... postanowiliśmy, że masz przegrać tę walkę. Rozumiemy się?
Tak, pewnie i... Cooo? Co pan powiedział?

Ja mam przegrać? Jeszcze nigdy nie przegrałem. I to najważniejszą walkę? Żartuje pan!
Ciszej, mistrzu. I nie dyskutuj, tylko rób, co mówie.

Nie mogę usłuchać takiego polecenia. I jestem pewien, że Miki nie stoi po pańskiej stronie. Gdzie on jest?
Dobra, jak sobie chcesz. Oto i on.

Miki jest w moich rękach. W tej chwili wisi nad zbiornikiem pełnym krwiożerczych ryb. Jeśli nie zrobisz, jak mówię, nacisnę ten guzik i pożrą go żywcem.
?

Twój wybór. Albo przegrasz walkę, albo stracisz przyjaciela. Jasne?
O rajuśku!
Czerwona lampka. Kamera działa.

Goofy, widzisz mnie? Nie zwracaj na mnie uwagi. Myśl tylko o zwycięstwie. Dam sobie radę. Nie słuchaj tego drania Perukki.

Eee... Nie wiem... yyy... co robić...
Chce się dla ciebie poświęcić. Ale ty nie pozwolisz mu na tak okrutną śmierć, prawda?

Uratuję się, Goofy. A ty walcz... i wygraj!
D-dobrze, Miki. Wygram, skoro chcesz.

Ach tak? Sami tego chcieliście. Goofy zmieni śpiewkę, jak stopy Mikiego dotkną wody.

Ojć! Zaczynam się obniżać. Chciałbym być pewien, że dam sobie radę... jak powiedziałem Goofiemu.

Tymczasem zaczęła się walka stulecia...
Pewnie, Miki, wygram, skoro tego chcesz.

Pewnie, wygram... uch...
!
!
!
!
!

...a przynajmniej... uch... spróbuję...

Jeszcze trochę i będę mógł spróbować...

Teraz kamera mnie nie pokazuje. Muszę sam sobie życzyć szczęścia...

No, powolutku... O tak... Ostrożnie, małe żarłoki. Che, che! Brrr!

Hura! Doszczętnie pożarły sznur.

Mam jeszcze parę sekund, żeby uwolnić nogi... obym dał radę. Uff! Puff!

Tymczasem Goofy zyskuje przewagę nad rywalem...
Dawaj, Goofy!
Goofy pany!
Poślij go na deski!

Kończy się pierwsza runda. Teraz Goofy tu przyjdzie i zobaczy przyjaciela na łasce piranii...
Prawym prostym go!
Lewym sierpowym!

Do licha! Urządzenie zadziałało zbyt szybko. Już po Mikim...
Brawo, Goofy!

Pierwsza runda się kończy i...
Uff! Jak tam, Miki?
Przykro mi, ale dla niego już za późno. Ostrzegałem...

Właśnie pożerają go piranie. Teraz możesz sobie wygrać albo przegrać, jak wolisz.

Czyli Mi... Mi... Mik... Miki...
Druga runda!
GONG
I dobrze. Po takiej wiadomości na pewno przegra.

Tymczasem Miki...
Che, che! Te szynki oszukają Perukkę. Uzna, że nie żyję, i poczuje się pewnie. A ja będę miał czas, żeby go dorwać.

Ale... och! Nie przyszło mi do to głowy! Goofy też pomyśli, że nie żyję... załamie się... i przegra walkę.

Muszę stąd wyjść, i to już. Ratunku! Otwórzcie!

Nie słyszą mnie... O! Telefon. Ale fart!

Hej, zaraz! Skąd tu telefon? I czemu ma dwa przewody...

Lepiej sprawdzę, dokąd prowadzą. Nie chcę, żeby...

Tak myślałem. Dynamit. Perukka chciał mnie wykończyć... w taki czy w inny sposób.

Taki ładunek powinien wystarczyć do wysadzenia drzwi...

Jak podniosę słuchawkę powinno wybuchn...
BUUUM
Ekhem... Chyba przesadziłem z ładunkiem jak na jedne drzwi...

Odgłos wybuchu przyciągnął załogę karetki...
Nie, nie do szpitala. Zawieźcie mnie do Patison Skwer Garden. I połączcie mnie przez radio z policją.
Jak pan chce...
Tak jest. Proszę o interwencję. Kto? Komisarz O'Hara, tutaj, w Nowym Jorku? To doskonale!
EEEOOO

A zatem, troszkę później...
Zaczekajcie tutaj. Możliwe, że po walce będziecie musieli zabrać kogoś innego.
Jestem, Miki. Co się dzieje?
PIIISK
Przyjechałem w misji specjalnej. Co ci się stało?
Później wszystko wyjaśnię. Teraz musi pan zatrzymać Klausa Perukkę, promotora Goofiego.

Goofy leży na deskach!
Sędzia już go liczy.
Komisarzu, niech pan idzie do narożnika Goofiego. Tam jest Perukka.
Dobrze.

...4... 5... 6...
Goofy, Goofy! Ocknij się! To ja, Miki! Jestem tutaj. Goofyyy!
TU SPOCZYWA MYSZKA MIKI

...8... 9...
Żyję. Wstań, proszę. Szybko!

Miki! Nic ci nie jest!
!
Patrzcie! Podniósł się!
Huraaa!

Aha, więc to tak! Nie myślcie, że tak łatwo mnie dopadniecie, gliniarze!
Stój, w imieniu prawa!

W tym momencie Goofy zupełnie doszedł do siebie i...
PRASK

Goofy zostaje mistrzem świata wszechwag!
Hura!
Niech żyje!

Miki! Mój stary Miki!
Spokojnie, mistrzu, bo jeszcze mnie udusisz.

W komendzie głównej policji...
Kierowała mną nie tylko żądza pieniądza, ale też pragnienie zemsty, pielęgnowane przez lata. Pamiętacie słynnego Klausa Starkfausta? To ja 30 lat temu pierwszy próbowałem dokonać wyczynu, który udał się Goofiemu.
Ale podczas decydującej walki pewien cwaniak rzucił na ring skórkę od banana. Poślizgnąłem się, a rywal spuścił mi taki łomot, że do dziś mam siniaki.

Byłem skończony. Ze złości wypadły mi włosy. Wtedy zostałem Klausem Perukką, wielkim promotorem. Latami szukałem boksera, którego wypromuję, a potem zepchnę na dno, żeby się zemścić.

Ale wszystko poszło źle. Jestem zrujnowany, a co gorsza, własnymi rękami stworzyłem mistrza świata wszechwag. Ech!
No tak. Rozumiem, że to największy problem dla kogoś tak chorego z ambicji. Ale ja nie mogę przestać myśleć... brrr... o zębach tych strasznych piranii.

Po powrocie do domu Miki zauważa, że Goofy zaczyna się nagle trząść...
Co z tobą, Goofy?
Nie mam pojęcia. Czuję się jak liść na wietrze.

Do zoba...
Au! To boli.

Goofy zyskał nagle cudowną siłę z powodu jakiegoś dziwnego zjawiska, po tej gonitwie za zającem. Kurczę, zdaje się, że już mu przeszło.

Ej, chłopaki! Patrzcie!
Mistrz nad mistrzami!
Pokażesz nam, jak się boksuje?

Jasne, chłopcy, ale... uch!
Dobry lewy hak, co?
Tata mówi, że Goofy umie przyjmować ciosy.

A zatem tak kończy największy bokser w dziejach...
KONIEC

Walt Disney

KACZKA DAISY

Stadionowe emocje

Scenariusz: Claudia Salvatori, rysunki: Marco Mazzarello

„Drogi pamiętniczku, życie w Grecji jest naprawdę ciężkie”.

„Mężczyźni nie widzą świata poza igrzyskami i zawodami sportowymi”.

I/T 2105 D

„Na przykład jakiś czas temu...”
TUP
TUP
TUP

Brawo! Hura!
TUP
TUP
TUP

Dzień dobry, Daiseno.
Stój, Donaldesie!

Dokąd się wybierasz z tą bandą obiboków?
Do miasta. Zaczynają się zawody ku czci Ateny.
Ech! Najpierw zawody delfickie, potem na cześć Apolla, potem Aresa... A my kiedy się spotkamy?
Ekhem...

Niedługo, ukochana. Jak wrócę to się umówimy.

Ej, chłopaki! Zaczekajcie na mnie!

Grrr! Jak zwykle. Ja w domu, a on z kolegami.

Daiseno! Rozumiem, że to niełatwe, ale musisz spróbować zrozumieć swojego Donaldesa.

Nie pojmuję, co on widzi w biegach czy w rzutach dyskiem i oszczepem.
Wiem. Mnie też to nudzi.

Ale w sumie... po całym dniu wysiłku nasi mężczyźni mają prawo się odprężyć, nie?
Prawdę mówiąc, Donaldes nigdy się nie wysila.

Nieważne. Jeśli go kochasz, musisz wyjść mu naprzeciw.
Ech! Łatwo ci mówić. Ty nie masz narzeczonego.

O, ja nieszczęsna! Gdybym go miała, mogłabym znieść wszystkie zawody sportowe na całym Peloponezie.

„Za każdym razem ta sama historia, drogi pamiętniczku. Zaraz opiszę, jak się sprawy mają..."
Tym razem Fifos z Aten rzuci dyskiem dalej od wszystkich.

CHA CHA CHA

Kwa! Gogusias!
Naiwniak z ciebie, Donaldesie.

Wszyscy wiedzą, że Agaton Jasny to najlepszy dyskobol w Grecji włącznie z wyspami.

Phi! Zobaczymy, jak sobie poradzi z Fifosem.
Phi! Agaton zmiażdży twojego mistrza od siedmiu boleści.
Fifos jest najlepszy!
Fifos nie jest wart funta kłaków.

Słyszeliście, chłopaki? Pokażmy im, kim jest Fifos... i kim my jesteśmy.
Ha! Dalej, przyjaciele. Brońmy swojego honoru.

Huziaaa!
E tam!

Jauć!
BACH

PRASK
ŁUP
„Właśnie tak się sprawy mają. Kłótnie, awantury, bijatyki i ustawki".
BAM
TRACH
BACH

„Ma się rozumieć, wracają mocno poobijani. I kto musi się nimi opiekować?"

Mam dosyć tej sytuacji. Nie chcę cię oglądać w takim stanie.
PLASK

A przynajmniej wygrał ten wasz dyskobol od siedmiu boleści?
Ech! Nie. A zresztą, nie widziałem... Ekhem... Byłem zajęty...

Ale następnym razem, na wyścigach Aresa, pokażemy im! Au!

Następnym razem będziesz się sam opatrywał!
PAC

„I rzeczywiście..."
Biegnij, Zezypie! Szybciej!

Dawaj, Polipie! Jesteś szybki jak błyskawica!

Hura! Wygrałem!

Grrr! To nie w porządku. Polip podstawił Zezypowi nogę. Sędziowie zostali przekupieni!

Ech! Znowu się nie udało.
WYJŚCIE

W tym roku bogowie nie sprzyjają nam, kibicom z trybuny południowej.
Może powinniśmy zanieść coś do świątyni Afrodyty, żeby zapewnić sobie zwycięstwo? Kosz owoców wystarczy?

Hej! To oni! Wrogowie!
Jeszcze tu łazicie? Mało wam porażek?

Idźcie się schować!
Grrr! Musimy zareagować na prowokację.

PRASK
BACH
CIEP
Chodź tutaj! Odszczekasz to, co powiedziałeś!
Raczej to powtórzę, słabeuszu.

Nic nie mów. Wiem, co myślisz. Opatruję się sam, jak widzisz.
Oj, Donaldesie.

Zapomnijmy o naszych sporach i zawrzyjmy pokój.
?!

Nie złościsz się?
Nie. Dowiedziałam się, że przed narni długi okres bez zawodów. Całe dziesięć dni.

Możemy nareszcie urządzić uroczyste zaręczyny.

Oto prezent dla ciebie. Perfumowana maść.

Te wszystkie guzy i siniaki muszą zniknąć. Na uroczystości masz wyglądać jak młody bóg.
Auć!
FRRR

„Ustalonego dnia Donaldes miał przyjść po mnie do domu i przeprowadzić mnie między zgromadzonymi krewnymi i znajomymi".
Pachnę jak jakiś kwiatek. Błe!
Gratulacje, Donaldesie!
Szczęścia i pomyślności!

O, jakiś ty elegancki! Wyglądasz jak aktor z teatru.
Ech! Prawdę mówiąc, czuję się śmiesznie w tych łachach.

To najnowszy krzyk mody. Najwięksi mężowie w Atenach takie noszą.

Donaldesieee!
Hę?

Igrzyska olimpijskie... Ziiip! Właśnie się dowiedziałem, że postanowiono przyspieszyć je o jeden dzień.
Co takiego? To znaczy...

...że jeśli nie wyruszymy natychmiast, igrzyska nas ominą. Straszne!

Ekhem... Najdroższa...
O nie! Niemożliwe. Nie mogę uwierzyć, że chcesz mnie opuścić z powodu igrzysk. Powiedz, że to nieprawda.

Igrzyska olimpijskie to zbyt ważna sprawa.
Innym razem!
A kiedy się zaręczymy?
Che, che! Zostawia ją w dniu zaręczyn przed połową wioski.

Grrr! Zeusie, daj mi siłę...
BZYK

Dosyć tego! Dam mu nauczkę.

„Po tym wstydzie przed całą wioską potrzebowałam pociechy. Dlatego poszłam do Babci Kaczony..."

„Babcia to Spartanka pełnym dziobem..."
Uff! Puff!

Cześć, babciu!
Wnusiu! Aleś ty wyrosła!

Pokaż się... Hmm... Wydajesz się trochę zbyt delikatna. Chyba nie zapomniałaś o swoich spartańskich korzeniach, co?

Przydałoby ci się trochę prostego życia na wsi.
Babciu... Mam problem.
PAC
PAC

Rozumiem... Mężczyźni już
acy są. Twój wujek Skneron
też szaleje na punkcie
igrzysk. Za każdym razem,
gdy wyjeżdża...
„...daję mu tarczę".
Wróć z nią albo na niej.
„I zawsze wraca na niej".
Nie poddam się. Znajdę sposób, żeby go wyleczyć z tej manii.
Brawo, moja droga. Nie wolno rezygnować. Jesteśmy Spartankami.

„Po powrocie do wioski zabrałam głos na placu. Zwróciłam się do innych kobiet...”
Dziewczyny! Tak dalej być nie może! Musimy coś zrobić.
DRAP
DRAP

Której z was nie zostawiono samej z powodu igrzysk?
Och!

Igrzyska to nieunikniona katastrofa.

Słusznie! Daisena ma rację.
Dosyć samotnego siedzenia w domach, kiedy oni idą na stadion.

Biją się jak młodzi chłopcy.
Pora, żeby wreszcie dojrzeli.

Wybacz, ale jakoś trudno mi się w to zaangażować.

Jak się zaręczysz, to będzie także twój problem. Musimy być solidarne.

Niech żyje Daisena!
Ruszymy z posad bryłę świata!
Tak, ale... co konkretnie zrobimy?

„Miałam pewien pomysł. Od razu ruszyłyśmy w drogę do Olimpii i zdołałyśmy dotrzeć na miejsce pod koniec igrzysk".
Znowu przegraliśmy. I na stadionie, i poza nim.
Hmm... Wiem, gdzie mieszkają zawodnicy. Może gdybyśmy...
„Dotarłyśmy do domu filozofa Arystodema w chwili, gdy sportowcy stamtąd wychodzili..."
Po czym ich poznamy?
ARYSTODEM

Nie sposób się pomylić. Popatrz tylko.

Halooo! Panowie bohaterowie stadionów!
?

Hę? To do nas?
Agaton i Polip, tak? W takim razie – do was.

Och! Nieczęsto się zdarza, żeby interesowały się nami dziewczyny.
Dziwne. Powinno się zdarzać bez przerwy.

Ale może to dlatego, że nigdy nie zaglądacie do naszej wioski.

Co o tym myślisz, Polipie?
Hmm... Nabrałem ochoty na wakacje.

Wskażecie nam drogę do swojej wioski?
To będzie dla nas czysta przyjemność.
Nawet nie wiecie jak wielka.

„A zatem..."
Wygodnie wam, chłopcy?
Jeszcze jak! Dziękujemy.
Jesteś bardzo gościnna, Daiseno.

Daiseno, przyszedł Donaldes. Pyta o ciebie.
Idę, babciu.

Ekhem... Cześć, ukochana. Dawno się nie widzieliśmy.
Miałam dużo zajęć.

Pomyślałem, że moglibyśmy pojechać tylko we dwoje do Delf... i poradzić się wyroczni.
Nie potrzebuję wyroczni, żeby ci powiedzieć, że będę zajęta także w przyszłości.

Jak widzisz, mamy gości.
Kwak!

Jak mogłaś ich zaprosić? To nasi rywale.
Może twoi i twoich kolegów. Ja ich lubię.

A teraz przepraszam. Gościnność ma swoje wymogi.

Chłopcy, będzie mi miło, jeśli włożycie tuniki, które dla was uszyłam.

Są piękne.
Zawsze o takiej marzyłem.

Cieszę się, że doceniacie moją gościnność.
Grrr! Obrzydliwe.

Nie rozumiem. Co wyrabiają nasze dziewczyny?

BRZDĄK
FIUUU
Kwa? Co to za muzyka?

Chodźcie, dziewczyny. Umilimy czas naszym mistrzom.

Kwrrr! Czy one wszystkie powariowały?
?

Ech! Obawiam się, że tak. Moja żona całymi godzinami maluje ich sportowe wyczyny.

„Miesiąc później zawodnicy ciągle byli u nas, a stadiony zaczęły pustoszeć..."
GRECJA
STADION ZAMKNIĘTY
STADION ZAMKNIĘTY
STADION ZAMKNIĘTY
Ech! Nie da się kibicować bez... wroga!
Igrzyska straciły sens.

Ech! Tak mi brakuje bójek z Donaldesem...

Grrr! Jeśli nie mogę się pobić z Gogusiasem, nie ma zabawy.

„Nasi mężczyźni
byli już
ugotowani...”
Ta historia musi się skończyć. Nasze
dziewczyny świata nie widzą poza
tymi sportowcami.

Patrzcie, jak wyglądam. Moja żona szyje dla
mistrzów, a mnie nawet dziury nie zaceruje.

Tak wygląda moja kolacja, odkąd
żona gotuje dla tych dwóch.

Moja dziewczyna nigdy nie
chciała dla mnie grać, ale nie
oszczędza cytry dla Agatona
i Polipa.

Chodźmy do domu
Daiseny.
Pora przywrócić
dawny porządek
rzeczy.

Daiseno! Dosyć tego!
Och, Mój drogi Donaldesie! Nie stójcie tak, tylko chodźcie tańczyć.
Co za obrzydliwy spektakl.

O, Polipie! Biegasz niczym Hermes, posłaniec bogów.
Staram się, jak mogę.

Mój drogi Agatonie! Wiesz, że bosko rzucasz dyskiem?
Bosko? Jak to? Przecież żaden z bogów Olimpu nie uprawia tego sportu.

Ustaw się, Agatonie. Zostaniesz uwieczniony w marmurze.
Grrr...

Zaraz rozwalę mu ten dysk na głowie!

Co wy widzicie w tych mięśniakach?
Tyle krzyku o to, że umieją rzucać jakimś głupim krążkiem?

o wy nie mogliście żyć bez oglądania ich wyczynów. Może teraz to przemyślicie.
Chcesz powiedzieć, że to wszystko farsa?

Czyli chciałyście tylko dać im nauczkę?
No... tak.

Wiedziałem, że to nie może być prawda. Dziewczyny zawsze nas lekceważyły. Mówią, że jesteśmy nudni.

Och! Nie wiedziałyśmy. Bardzo nam przykro.
Wasi mężczyźni są głupi. Gdybyśmy my mieli żony, siedzielibyśmy z nimi w domu.

Ale ich nie macie. Więc... pa, pa!
Ech! No dobra. Wracamy do życia w pojedynkę.

O nie! Jest tu mnóstwo dziewczyn, które nie mają mężów.

„W końcu doszliśmy do kompromisu. Tylko cztery dni igrzysk w miesiącu, a przez resztę czasu mają być w domu”.
Szczęścia i pomyślności!

„A sportowcy, kiedy nie będą startować w zawodach, mają mieszkać u Kaczencjony. Ma teraz dwóch kandydatów na narzeczonego... i nie wie, którego wybrać”.

Nie czuję się już zaniedbywana.

Najdroższa, mogę się przejść, podczas gdy piszesz w pamiętniku?
Oczywiście, luby. Tylko się nie oddalaj.

Ech! Ale nuda... bez igrzysk...

Czas się
rasznie dłuży.
Jak pomyślę, że do następnych igrzysk olimpijskich jeszcze 10 miesięcy...

Przydałaby się jakaś rozrywka... Kwa!

Che, che! Zniszczyłeś swój elegancki ciuch.
I co w tym
śmiesznego?

Cha, cha! Wyobrażam sobie minę Daiseny, jak to zobaczy.
Grrr!

Zobaczymy, czy będzie ci do śmiechu. A masz!
Auć!
PLASK

Łap!
Moja!

„Zdaje się, drogi pamiętniczku, że mężczyźni nie umieją wytrzymać bez sportu".
Podaj!
Drugie!
Tutaj!
?
Kwa! Co się dzieje?
Biegnij! Twoja!
Złap to!
Podajcie do mnie!
„A ta gra jest jeszcze głupsz od innych. Całe szczęście, że nigdy nie trafi na stadion Bieganie za jakąś piłką? Bez żartów".
KONIE